1000
विज्ञान प्रश्नोत्तरी

AF874859

दिलीप एम. सालवी

सत्साहित्य प्रकाशन, दिल्ली

प्रकाशक : **सत्साहित्य प्रकाशन**
694-ए, (पहली मंजिल) चावड़ी बाजार, दिल्ली-110006
 / संस्करण : 2025 / पेपरबैक मूल्य : चार सौ रुपए
मुद्रक : नरुला प्रिंटर्स, दिल्ली
अनुवाद : विनय भूषण

1000 VIGYAN PRASHNOTTARI
by Shri Dilip M. Salwi
₹ 400.00 (PB)
Published by **SATSAHITYA PRAKASHAN**
694-A, (First Floor) Chawri Bazar, Delhi-110006

ISBN 978-93-92573-72-9

1000
विज्ञान
प्रश्नोत्तरी

इस शृंखला की पुस्तकें

- ★ 1000 जीव-जंतु प्रश्नोत्तरी
- ★ 1000 हिंदी साहित्य प्रश्नोत्तरी
- ★ 1000 कंप्यूटर-इंटरनेट प्रश्नोत्तरी
- ★ 1000 खेल-कूद प्रश्नोत्तरी
- ★ 1000 गणित प्रश्नोत्तरी
- ★ 1000 विज्ञान प्रश्नोत्तरी
- ★ 1000 खगोल विज्ञान प्रश्नोत्तरी
- ★ 1000 पर्यावरण प्रश्नोत्तरी
- ★ 1000 इतिहास प्रश्नोत्तरी
- ★ 1000 भूगोल प्रश्नोत्तरी
- ★ 1000 राजनीति विज्ञान प्रश्नोत्तरी
- ★ 1000 हिंदू धर्म प्रश्नोत्तरी
- ★ 1000 सामान्य ज्ञान प्रश्नोत्तरी
- ★ 1000 स्वाधीनता संग्राम प्रश्नोत्तरी

स्व. पी.आर. तावडे
की
स्मृति में

आभार

डॉ. एन.आर. मांकड को विशेष धन्यवाद। उनकी सलाह से ही इस पुस्तक को मौजूदा स्वरूप मिल पाया है। डॉ. पी.के. पंडा, श्री के.डी.पी. राव और श्री विजया राव को भी उनके उपयोगी और महत्त्वपूर्ण सुझावों के लिए धन्यवाद ज्ञापित करता हूँ। लिखने के दौरान पूर्ण सहयोग प्रदान करने के लिए प्रिय स्मृति सालवी को भी धन्यवाद देता हूँ।

निम्नलिखित एजेंसियों और कंपनियों ने इस पुस्तक में प्रकाशन के लिए चित्र उपलब्ध कराए हैं—यू.एस.आई.एस. डॉक्यूमेंटेशन यूनिट; यू.एस.एस.आर. इन्फॉर्मेशन सेंटर; ब्रिटिश इन्फॉर्मेशन सर्विसेज; विश्व स्वास्थ्य संगठन, दिल्ली; बेल प्रयोगशाला, संयुक्त राज्य अमेरिका; मारकोनी कंपनी लिमिटेड, ब्रिटेन; इरोस डाटा सेंटर, अमेरिका; सनशाइन इन्क., अमेरिका; मिट्योरोलॉजी नेशनल, फ्रांस।

यू.एस.आई.एस. के श्री एन.के. वधवा, यू.एस.एस.आर. इन्फॉर्मेशन सेंटर के गोपी मेनन और ब्रिटिश इन्फॉर्मेशन सर्विसेज की मालती जय कुमार के प्रति विशेष आभार। दिनेश सिन्हा, संदीप शंकर और पी. दयानंदन भी धन्यवाद के पात्र हैं, जिन्होंने मुझे पुस्तक के लिए कुछ आवश्यक चित्र उपलब्ध कराए।

विषयक्रम

प्रस्तावना

विज्ञान प्रश्नोत्तरी की पुस्तक सिर्फ किसीकी जानकारी की जाँच कर सकती है, न कि विज्ञान और तकनीक के ज्ञान की। खगोल विज्ञान से मानवशास्त्र, ऊर्जा से पर्यावरण और उद्योग से संस्थानों तक—इस पुस्तक में इन सभी विषयों का समावेश किया गया है। समाज और साहित्य पर विज्ञान और तकनीक के प्रभाव के साथ-साथ जीवन के विभिन्न क्षेत्रों में पड़नेवाले प्रभावों को भी छूने की कोशिश की गई है। संक्षेप में कहें तो इसका उद्देश्य सामाजिक, ऐतिहासिक और सांस्कृतिक दृष्टिकोण से विज्ञान और तकनीक संबंधी चेतना की जाँच करना है। इस पुस्तक को पूरा पढ़ें तो आपको पता चलेगा कि विज्ञान और तकनीक को अलगाव में नहीं लेना चाहिए। जीवन के हर क्षेत्र में इसकी शाखाएँ हैं। विज्ञान और तकनीक को एक परिघटना के रूप में लिया जाना चाहिए, जो दुनिया को धीरे-धीरे बदल रही है—यकीनन भले के लिए। विज्ञान मात्र प्रयोगशाला तक ही केंद्रित नहीं है, विज्ञान की सीमाएँ असीम हैं। मगर हमें इसका जल्दबाजी में अनुसरण नहीं करना चाहिए। हमारे अपने हित में इस्तेमाल करने के पूर्व सावधानी से सोच लेना चाहिए; क्योंकि विज्ञान खलनायक भी है। विज्ञान की जानकारी की जाँच करने और अज्ञात पहलुओं के बारे में जानकारी देने के अलावा यदि यह पुस्तक इस भावना को पाठकों तक ले जाने में कामयाब होती है तो मेरा इसे लिखने का उद्देश्य पूरा हो जाएगा। हालाँकि यह पुस्तक बच्चों और किशोरों को ध्यान में रखकर लिखी गई है; मगर यह उनके लिए भी रुचिकर होगी जो इस विज्ञान के बारे में कुछ दिमागी कसरत करना चाहते हों।

मुझे प्रसन्नता है कि यह पुस्तक हिंदी के पाठकों के बीच जा रही है।

—दिलीप एम. सालवी

I

पहले पहल

प्रथम वैज्ञानिक

1. अपने कंप्यूटर के लिए कंप्यूटर भाषा का इस्तेमाल करनेवाला पहला वैज्ञानिक कौन था ?
   (अ) जॉर्ज स्टिबिट्ज (ब) चार्ल्स बैबेज
   (स) जी.डब्ल्यू. लैब्निज (द) कोनराड ज्यूस
2. पुरुष के लिए ♂ और महिला के लिए ♀ संकेत का प्रयोग सबसे पहले किसने किया ?
   (अ) अरस्तू (ब) चार्ल्स डार्विन
   (स) कैरोलस लिनियस (द) रिचर्ड ओवेन
3. अत्यधिक ऊर्जा प्राप्त करने के लिए विद्युत् कणों को त्वरित करनेवाली पहली साइक्लोट्रॉन मशीन का निर्माण किसने किया ?
   (अ) एनरिको फर्मी (ब) ई.ओ. लॉरेंस
   (स) एलेक्जेंड्रो वोल्टा (द) रॉबर्ट जे. वान डि ग्राफ
4. प्रथम परखनली शिशु पैदा करने की तकनीक किसने विकसित की ?
   (अ) पैट्रिक स्टेप्टो (ब) रॉबर्ट एडवर्ड्स
   (स) उपर्युक्त कोई नहीं (द) दोनों
5. शुक्र ग्रह के वातावरण का अवलोकन सबसे पहले किसने किया ?
   (अ) मिखाइल लोमोनोसोव (ब) जॉर्ज एयरी
   (स) गियोवान्नी कैसिनी (द) फ्रांसिस बेली
6. 'एटॉमिक पाइल' नामक पहला न्यूक्लियर रिएक्टर किसने बनाया ?
   (अ) ऑटो हॉन (ब) एच.जे. भाभा

(स) फ्रीमैन डाइसन (द) एनरिको फर्मी

7. परमाणु की पहली अवधारणा किसने दी ?
   (अ) कणाद (ब) अरस्तू
   (स) जॉन डाल्टन (द) कपिल

8. धरती के आकार का सही निर्धारण सबसे पहले किसने किया ?
   (अ) टोलेमी (ब) हिप्पारकस
   (स) इरेटोस्थेनेस (द) आर्किमिडीज

9. धरती की सतह के अंदर से तेल निकालनेवाला पहला व्यक्ति कौन था ?
   (अ) जॉन डाल्टन (ब) एडविन ड्रेक
   (स) अल्फ्रेड वेगेनर (द) जस्टस वॉन लिबिग

10. पहला इलेक्ट्रॉन माइक्रोस्कोप बनानेवाला वैज्ञानिक कौन था ?
   (अ) मैक्स नॉल और अर्न्स्ट रस्का (ब) अंटोन वान ल्यूवेनहॉक
   (स) एच. बिनिग (द) रॉबर्ट मिलिकन

11. सबसे पहले किसने बताया कि धरती एक गोला है और यह अपने अक्ष के चारों ओर घूमती है ?
   (अ) आर्यभट्ट (ब) वराहमिहिर
   (स) पाइथागोरस (द) टोलेमी

12. पैडल से चलनेवाले पहले हवाई जहाज की डिजाइन और निर्माण किसने किया ?
   (अ) हेनरी क्रेमर (ब) ब्रियां एलेन
   (स) पॉल मैकक्रिडी (द) चार्ल्स लिंडबर्ग

13. प्रथम हैंग-ग्लाइडर पायलट का नाम क्या था ?
   (अ) ऑटो लिलियनथल (ब) जेम्स वान एलेन
   (स) ऑरविले राइट (द) विलियम लैसेल

14. शून्य को सबसे पहले किसने अंक के रूप में माना और इसका गणितीय इस्तेमाल बताया ?
   (अ) ब्रह्मगुप्त (ब) आर्यभट्ट
   (स) प्लेटो (द) पाइथागोरस

15. रेडियो तरंगों का पता सबसे पहले किसने लगाया ?
   (अ) जी. मारकोनी (ब) जेम्स सी. मैक्सवेल
   (स) हेनरिक हट्र्ज (द) निकोला टेस्ला

16. सबसे पहले किसने बताया कि धरती पर एक बार हिमयुग का हमला हुआ था ?

(अ) गैब्रियल डॉब्री (ब) जॉर्ज कुवियर

(स) चार्ल्स लियेल (द) लुईस एगेसिज

17. रॉकेट के सिद्धांत का सबसे पहले किसने प्रतिपादन किया ?

(अ) रॉबर्ट गोदार्द (ब) हरमन ओबर्थ

(स) विली ली (द) कॉन्सटैंटिन स्यालकोवस्की

18. सबसे पहले किसने बताया कि शून्य से विभाजित होनेवाली संख्या एक अनंत परिमाण (इनफिनिट क्वांटिटी) है ?

(अ) ब्रह्मगुप्त (ब) भास्कर

(स) लियोनार्दो द विंसी (द) महावीर

19. एक नए ग्रह को ढूँढ़नेवाला प्रथम व्यक्ति कौन था ?

(अ) विलियम हर्शेल (ब) विलियम लैसेल

(स) जॉन हर्शेल (द) उरबेन लेवेरियर

20. सबसे पहले किसने बताया कि रेडियो तरंगें अंतरिक्ष से आती हैं ?

(अ) कार्ल जी. जांसकी (ब) हरमन वोगल

(स) फ्रिट्ज ज्विकी (द) ओले रोमर

प्रथम वस्तु

21. पहली कंप्यूटर भाषा कौन सी थी ?

(अ) फोरट्रान (ब) प्लेनकैलकुएल

(स) बैबेज (द) पी.एल.-1

22. निम्नलिखित में से कौन सा पेड़ फसल की तरह उगाया जाता है ?

(अ) हल्दू (ब) लाख का पेड़

(स) पीपल (द) खजूर

23. अंतरिक्ष में पाया जानेवाला प्रथम अणु कौन सा था ?

(अ) कार्बन डाइऑक्साइड (ब) कार्बन मोनोक्साइड

(स) सिलिकन ऑक्साइड (द) हाइड्रोक्साइड

24. बिना प्रयोगशाला के रसायनों के पहला जीन किसने बनाया ?

(अ) मार्शल ए. निरेनबर्ग (ब) हरगोविंद खुराना

(स) फ्रांसिस क्रिक (द) ऑर्थर कोर्नबर्ग

25. पहला बुद्धिमान् कंप्यूटर कौन था ?

(अ) एलिजा (ब) इंटेल

(स) इडवेक (ई.डी.वी.ए.सी.) (द) साइबर

26. एक बहुमुखी प्रतिभा के धनी किस वैज्ञानिक ने सच्चे अर्थों में पहली बार वैज्ञानिक प्रयोगशाला बनाई ?

(अ) लॉर्ड केल्विन (ब) जीन फोकॉल्ट

(स) लुईस पाश्चर (द) जीन एगेसिज

27. उच्च ऊर्जा यंत्र 'एक्सीलेरेटर' की मदद से दूसरे तत्त्व में बदले जानेवाले पहले तत्त्व का नाम क्या है ?

(अ) प्लूटोनियम (ब) हीलियम

(स) सोना (द) लीथियम

28. भारत में पहला चिकित्सा महाविद्यालय कहाँ स्थापित किया गया ?

(अ) कलकत्ता (ब) मुंबई

(स) चेन्नई (द) पुणे

29. प्रथम होमो इरेक्टस (नर वानर) के जीवाश्म की खोज किसने की ?

(अ) यूजीन डुबोइस (ब) रेमंड डार्ट

(स) मेरी लीकी (द) उपर्युक्त में से कोई नहीं

30. ऐसा विश्वास किया जाता है कि उसने दुनिया में पहली बार खगोलीय वेधशालाओं की शृंखला बनाई ?

(अ) वराहमिहिर (ब) आर्यभट्ट

(स) एम.एन. साहा (द) जयसिंह

31. प्रथम मौसम उपग्रह कौन सा है ?

(अ) मीटिओर-I (ब) तिरोस-I

(स) भास्कर-I (द) मीटियोसैट

32. प्रथम परखनली शिशु का नाम क्या है ?

(अ) लुईस ब्राउन (ब) जुलियट एडवर्ड्स

(स) लेस्ली ब्राउन (द) एलिस्टेयर मांटगुमरी

33. भारत में प्रथम आधुनिक खगोलीय वेधशाला कहाँ बनाई गई ?

(अ) नैनीताल (ब) हैदराबाद

(स) चेन्नई (मद्रास) (द) कलकत्ता

34. पहला संपूर्ण सिंथेटिक फाइबर कौन सा है ?

(अ) रेयान (ब) ऊन
(स) नाइलॉन (द) टेफ्लॉन

35. रॉबर्ट गोदार्द ने प्रथम तरल प्रणोदक रॉकेट कब छोड़ा?
(अ) 1957 (ब) 1890
(स) 1926 (द) 1945

36. वह कौन सा आविष्कार है, जिसकी वजह से महिलाओं को कार्यालयों में पहली बार प्रवेश मिला?
(अ) टाइपराइटर (ब) बुनाई मशीन
(स) कंप्यूटर (द) टेलीफोन

□

II

जनक, खोजकर्ता, प्रतिपादक, मार्गदर्शक

जनक

37. भूगर्भशास्त्र के जनक के रूप में कौन विख्यात है ?
    (अ) अल्फ्रेड वेग्नर (ब) चार्ल्स ल्येल
    (स) जेम्स हट्टन (द) फिलॉन
38. तत्त्वों की आवर्त सारणी का जनक कौन है ?
    (अ) अल्फ्रेड नोबेल (ब) द्मीत्री मेंडलीव
    (स) जोहान्न बेयर (द) जोहांस वान डर वाल्स
39. ऑटोमोबाइल का जनक कौन है ?
    (अ) रूडोल्फ डीजल (ब) हेनरी फोर्ड
    (स) गोट्टलिब डेमलर (द) कार्ल बेंज
40. केमोथेरेपी यानी रसायनों की मदद से बीमारियों का इलाज करने के विज्ञान का जनक कौन है ?
    (अ) रॉबर्ट कोच (ब) एमिल बेहरिंग
    (स) पॉल एरलिच (द) लुईस पाश्चर
41. साइबरनेटिक्स का पिता किसे माना जाता है ?
    (अ) क्लॉड शेनॉन (ब) कॉनरेड ज्यूस
    (स) नॉरबर्ट वीनर (द) एलन ट्यूरिंग
42. 'हाइड्रोजन बम' का आविष्कारक कौन है ?
    (अ) जे. रॉबर्ट ओपनहीमर (ब) लियो स्जीलार्ड
    (स) एडवर्ड टेलर (द) ऑटो हॉन
43. प्लास्टिक सर्जरी का जनक किसे कहा जाता है ?

(अ) हिप्पोक्रेट्स (ब) गैलेन

(स) सुश्रुत (द) चरक

44. मस्तिष्क शल्य चिकित्सा (ब्रेन सर्जरी) का जनक किसे माना जाता है ?

(अ) पियरे ब्रोका (ब) गैलेन

(स) हारवी कुशिंग (द) क्रिश्चियन बर्नार्ड

45. भारत में भूगर्भ विज्ञान का जनक कौन है ?

(अ) मिहिर सेन (ब) डी.एन. वाडिया

(स) के.एस. वल्डिया (द) एम.के. बोस

46. अनंत (Infinity) के दर्शन का जनक किस गणितज्ञ को समझा जाता है ?

(अ) भास्कर (ब) लियोनार्द यूलर

(स) जेनो (द) यूक्लिड

47. 'शरीर विज्ञान' (फिजियोलॉजी) का जनक कौन है ?

(अ) इरेसिस्ट्रेटस (ब) टेल्स

(स) अनेक्सिमेंडर (द) हीरोफिलस

48. 'आधुनिक शरीर रचना विज्ञान' (एनाटॉमी) का जनक कौन है ?

(अ) जेम्स वाई. सिंपसन (ब) एंड्रियास वेसेलियस

(स) हिप्पोक्रेट्स (द) एविसेन्ना

49. मानव जाति की संस्कृति, उन्नति और विकास के शास्त्र (यूजेनिक्स) का जनक किसे समझा जाता है ?

(अ) कार्ल पियर्सन (ब) चार्ल्स डेवेनपोर्ट

(स) फ्रांसिस गैल्टन (द) चार्ल्स डार्विन

खोजकर्ता

50. ऊष्मागतिकी (थर्मोडायनामिक्स) के तीसरे नियम की खोज किसने की ?

(अ) काउंट रमफोर्ड (ब) एल.ई. बॉल्ट्जमैन

(स) पी.एम.एस. ब्लैकेट (द) एच.डब्ल्यू. नर्नस्ट

51. निम्नलिखित में से किस भौतिकीविद् ने कृत्रिम रेडियो सक्रियता की खोज की ?

(अ) हेनरी बेक्वेरेल (ब) पियरे क्यूरी

(स) मेरी क्यूरी (द) फ्रेडरिक जूलियट क्यूरी

52. 'सल्फा ड्रग्स' की खोज किसने की ?

(अ) होवार्ड फ्लोरी (ब) गेरहार्ड डोमैक

(स) एलेक्जेंडर फ्लेमिंग (द) रॉबर्ट विल्किंस

53. किस चिकित्सक के नाम पर मानव मस्तिष्क का 'प्राचीन' हिस्सा जाना गया?

(अ) ए.आर. वालेस (ब) पियरे ब्रोका

(स) पॉल बर्ट (द) डब्ल्यू. सी. गोरगास

54. किसने खोज की कि मछली अपने इलाके की पहचान के लिए 'वार पेंट' लगाती है?

(अ) फ्रांसिस गैल्टन (ब) बी.एफ. स्किनर

(स) कार्ल वॉन फ्रिस्क (द) कॉनरेड जेड. लारेंट्ज

55. किसने रेडियो सक्रियता की खोज की?

(अ) पियरे क्यूरी (ब) विल्हेम रोएंटजेन

(स) जॉन रेले (द) ए.एच. बेक्वेरेल

56. आयनीकरण के फॉर्मूले की खोज किसने की, जो खगोल भौतिकी में दस महत्त्वपूर्ण खोजों में से एक मानी जाती है?

(अ) नॉरमैन लॉकीर (ब) कार्ल सैगन

(स) एम.एन. साहा (द) एडविन हबल

57. आइजेक न्यूटन की भाँति किसने स्वतंत्र रूप से कैलकुलस की खोज़ की?

(अ) जी.डब्ल्यू. लैब्निज (ब) क्रिश्चियन हाइजेंस

(स) फ्रांसिस बेकन (द) लियोनार्दो फिबोनेक्सी

58. एककोशकीय जीव की खोज सर्वप्रथम किसने की?

(अ) मारसेलो मालपिघि (ब) एंटॉन ल्यूएनहॉक

(स) चरक (द) गैलेन

59. जे.-रिसेप्टर फेफड़े के अंदर एक स्नायु केंद्र है, इसकी वजह से साँस की कमी की बीमारी होती है। इस जे.-रिसेप्टर की खोज किसने की?

(अ) बी.एस. आनंद (ब) अवतार सिंह पेंटल

(स) ए.एल. हॉजकिन (द) पीटर मेडावर

60. किसने बताया कि एक खास तरह के मच्छर के काटने से मलेरिया होता है?

(अ) रोनाल्ड रॉस (ब) चार्ल्स शेरिंगटन

(स) क्रिश्चियन इज्कमैन (द) लुईस पाश्चर

61. जावा मैन 'पिथेकेंथ्रोपस इरेक्टस' के जीवाश्मों की खोज किसने की?
(अ) मेरी लीकी (ब) रिचर्ड लीकी
(स) एम.ई.एफ. डुबोईस (द) आर.एफ. स्कॉट

62. धरती के चारों ओर विद्युत् आवेशित एक परत है, इसे 'आयनमंडल' कहते हैं। यह रेडियो संचार प्रणाली को संभव बनाता है। इस आयनमंडल की खोज किसने की?
(अ) रॉबर्ट वाटसन वाट (ब) ई.वी. एप्पलटन
(स) जे.जे. थामसन (द) जे.डी. कॉकक्राफ्ट

63. रेडियो खगोलशास्त्र की बुनियाद किसने डाली?
(अ) मैक्स वेबर (ब) जे.एस.हे
(स) कार्ल जांस्की (द) रॉबर्ट वाटसन वाट

प्रतिपादक

64. शल्य चिकित्सा के वक्त रोगी को बेहोश करने के लिए दर्द निवारक दी जाती है। इसे 'एनेस्थेसिया' कहते हैं। इस शब्द की रचना एक ऐसे व्यक्ति ने की जो निबंधकार और कवि दोनों ही था?
(अ) पॉल एरलिक (ब) सुश्रुत
(स) ओलिवर वेंडेल होम्स (द) बर्ट्रेंड रसेल

65. 'लॉज ऑफ थॉट' नामक पुस्तक किसने लिखी, जो गणित में शास्त्रीय पुस्तक साबित हुई?
(अ) प्लेटो (ब) सुकरात
(स) बर्ट्रेंड रसेल (द) जॉर्ज बूल

66. निम्नलिखित में से कौन सा भौतिकीविद् था, जिसकी कृष्ण विवर (ब्लैक होल्स) की उपस्थिति के बारे में भविष्यवाणी करीब-करीब सही थी?
(अ) एस. चंद्रशेखर (ब) अल्बर्ट आइंस्टीन
(स) ए.एस. एडिंग्टन (द) हार्लो शेपली

67. 'भूरे बौने' (ब्राउन ड्वाफर्स) का विचार किसने दिया। यह ग्रह और सितारों के बीच विकास के दौर में मिलनेवाली एक चीज है?
(अ) शिव कुमार (ब) एच.एन. रसेल
(स) जॉन फ्लैमस्टीड (द) एस. चंद्रशेखर

68. किसके विख्यात होने के बाद एक धूमकेतु दो टुकड़ों में बदल गया?
(अ) डेविड ब्रिउस्टर
(ब) विल्हेम वॉन बीला
(स) हेनरिक ओल्बर्स
(द) फ्रांसिस बेली

69. किसके नाम पर टेलीग्राफ संकेत मशहूर हुआ?
(अ) जोसफ हेनरी
(ब) आंद्रे एंपीयर
(स) सैमुअल मोर्स
(द) जीन फूरियर

70. उसे कोलेजेन की संरचना पर गहन शोध करने के लिए जाना जाता है। कोलेजन एक प्रोटीन है, जो मानव शरीर में पाया जाता है?
(अ) जी.एन. रामचंद्रन
(ब) जेम्स वाटसन
(स) फ्रेडरिक सेंगर
(द) जोनास साक

71. 'प्रिंसिपिया मैथमैटिका' नामक पुस्तक का लेखक कौन है? यह पुस्तक उतनी ही महत्त्वपूर्ण है जितनी न्यूटन की 'प्रिंसिपिया'?
(अ) बर्ट्रेंड रसेल
(ब) ए.एन. ह्वाइटहीड
(स) दोनों
(द) उपर्युक्त में से कोई नहीं

72. किस वैज्ञानिक के नाम पर एक स्पेस टेलीस्कोप का नाम रखा गया है?
(अ) एडविन पी. हबल
(ब) हारलो शेपली
(स) ऑटो स्ट्रयूव
(द) बर्नार्ड लॉवेल

73. पृथ्वी के चारों ओर संचार उपग्रहों को लगाने में किसकी गणितीय खोज का इस्तेमाल हो रहा है?
(अ) पियरे लाप्लास
(ब) जोसफ लैग्रेंज
(स) अर्नेस्ट मैक
(द) ऑर्थर सी. क्लार्क

74. पृथ्वी या अंतरिक्ष दोनों ही जगह गतिमान चीजों के वेग निर्धारण के लिए जिस प्रभाव का इस्तेमाल किया जाता है, वह किस वैज्ञानिक के नाम से है?
(अ) क्रिश्चियन डॉप्लर
(ब) सी.वी. रमन
(स) गैस्पर्ड डि कोरियोलिस
(द) माइकल फैराडे

75. सबसे पहले किसने सोचा कि मंगल के दो उपग्रह हो सकते हैं?
(अ) एसफ हाल
(ब) विलियम हर्शेल
(स) आई. स्क्लोवस्की
(द) जोनाथन स्विफ्ट

76. नाभिकीय विलयन के द्वारा तारे ऊर्जा पैदा करते हैं। इस विचार को सबसे पहले किसने प्रस्तुत किया?

(अ) हान्स बेथे (ब) एम.एन. साहा
(स) अल्बर्ट आइंस्टीन (द) बर्ट्रैंड रसेल

मार्गदर्शक

77. कण तरंग द्वैतावस्था (वेव पार्टिकल डुएलिटी) का सिद्धांत किसने रचा? इस सिद्धांत के तहत कभी एक मूल कण एक तरंग की तरह व्यवहार करता है तो कभी एक तरंग एक मूल कण की तरह व्यवहार करती है।
(अ) अल्बर्ट आइंस्टीन (ब) ए.एच. कॉम्पटन
(स) लुईस डी. ब्रॉग्ली (द) विलियम ब्रैग

78. किसने दावा किया है कि विटामिन 'सी' के सेवन से साधारण सर्दी-खाँसी से बचा जा सकता है?
(अ) लाइनस पॉलिंग (ब) रेने डुबोस
(स) पॉल मूलर (द) जी. नट्टा

79. किसने न्यूट्रिनो के अस्तित्व की कल्पना पेश की? न्यूट्रिनो एक प्राथमिक मूल कण है, जो पदार्थ के साथ कम अंतर्क्रिया करता है?
(अ) वूल्फगैंग पॉली (ब) कार्ल डी. एंडरसन
(स) जेम्स चैडविक (द) पावेल सेरेंकोव

80. एक वैज्ञानिक ने कहा कि ग्रहण की गई विशिष्टताएँ आनुवंशिक तौर पर भी आ सकती हैं और उसने ग्रेगर मेंडल के आनुवंशिकी के नियमों और आधुनिक आनुवंशिकी के दूसरे नियमों पर जोरदार हमला किया, वह कौन था?
(अ) टी.डी. लाइसेंको (ब) जे.बी.एस. हाल्डेन
(स) फ्रांसिस गैल्टन (द) जॉर्ज बीडल

81. 'विज्ञान' शब्द की रचना किसने की?
(अ) फ्रांसिस बेकन (ब) रोजर बेकन
(स) विलियम ह्वेवेल (द) प्लेटो

82. किसने गणितीय रूप से साबित किया कि पूर्ण शून्य डिग्री तापक्रम (-273^0) प्राप्त करना असंभव है?
(अ) विल्हेम वीन (ब) जे.जे. थॉमसन
(स) फिलिप लेनार्ड (द) हरमैन नर्नस्ट

83. महाद्वीपीय ड्रिफ्ट, यानी भूखंड को एक जगह से दूसरी जगह बहाकर ले

जाने का सिद्धांत किसने प्रस्तुत किया? इसके मुताबिक सभी महाद्वीप समुद्र में तैरते लट्ठों की तरह तैर रहे हैं?

(अ) जेम्स हट्टन (ब) जॉज कुवियर

(स) अल्फ्रेड वेगेनर (द) रॉबर्ट पियरी

84. एक इलेक्ट्रॉन के आवेश को मापनेवाले यंत्र की रचना किसने की?

(अ) मैक्स बॉर्न (ब) रॉबर्ट मिलिकन

(स) जेम्स चैडविक (द) सी.टी.आर. विल्सन

85. मनोविज्ञान में 'सामूहिक चेतना' शब्द की रचना किसने की?

(अ) कार्ल जुँग (ब) बी.एफ. स्किनर

(स) इवान पावलोव (द) सिग्मंड फ्रायड

86. यह सिद्धांत किसने दिया कि सूक्ष्म स्तर पर किसी पदार्थ के विभिन्न पहलुओं के अवलोकन में हमेशा अनिश्चितता रहेगी?

(अ) लुईस डी ब्रॉग्ली (ब) वर्नर हेसेनबर्ग

(स) जी.डब्ल्यू. लैब्निज (द) ल्यूड्विग बॉल्ट्जमैन

87. अनंत (इनफिनिटी) के बारे में कुछ क्रांतिकारी विचार किसने दिए?

(अ) कार्ल गीडेल (ब) जॉर्ज कैंटोर

(स) जी.एच. हार्डी (द) एस. रामानुजन

88. एक खास परिघटना का अध्ययन करने के लिए समुद्र की गहराइयों में गहरे गोते लगाने के साथ-साथ वायुमंडल की ऊँचाइयों में भी कौन गया?

(अ) जेक्स वेस कोस्ट्यू (ब) विक्टर हेस

(स) अगस्त पिकार्ड (द) चार्ल्स बीब

89. बीमारियों के रोगाणु सिद्धांत की रचना किसने की?

(अ) लुईस पाश्चर (ब) ह्यूगो डी वेरिस

(स) क्लॉड बर्नार्ड (द) लुइगी गैल्वेनी

90. औद्योगिक स्तर पर अमोनिया उत्पादन की प्रणाली किसने विकसित की?

(अ) फ्रिट्ज हेबर (ब) कार्ल बॉस्क

(स) फ्रेडरिक बर्जियस (द) विलियम पार्किंस

91. एंटी पार्टिकल सिद्धांत किसकी देन है?

(अ) पी.ए.एम. डिराक (ब) इर्विन श्रोडिंगर

(स) मैक्स प्लैंक (द) अल्बर्ट आइंस्टीन

92. किसने कहा कि सपना स्वप्नद्रष्टा की परेशानी और अचेतन में छिपी

जरूरत को दर्शाता है ?

(अ) जीन पिगेट (ब) प्लेटो

(स) फ्रांसिस गैलटन (द) सिग्मंड फ्रॉयड

93. $E = mc^2$ समीकरण की रचना किसने की ? इस समीकरण में E, M और C क्रमशः ऊर्जा, द्रव्यमान और प्रकाश के वेग के संकेत हैं।

(अ) ऑटो हॉन (ब) अर्नेस्ट रदरफोर्ड

(स) नील बोर (द) अल्बर्ट आइंस्टीन

94. 'सबसे ज्यादा बेहतर ही अस्तित्वमान रहेगा', इस मुहावरे की रचना किसने की ?

(अ) चार्ल्स डार्विन (ब) हरबर्ट स्पेंसर

(स) अल्फ्रेड वेलेस (द) इरेमस डार्विन

95. 'प्रकृति निर्वात से घृणा करती है'—इसे साबित करने के लिए किसने मशहूर प्रयोग किया ?

(अ) ऑटो वॉन गुएरिक (ब) जॉन डाल्टन

(स) जोसफ ब्लैक (द) इवांजेलिस्ता टोरिसेली

96. गणितीय सवाल हल करते समय किसकी हत्या कर दी गई थी ?

(अ) भास्कर (ब) आर्किमिडीज

(स) यूक्लिड (द) यूडोक्सस

97. आज भी डॉक्टर किसकी शपथ लेते हैं ?

(अ) हिप्पैरकस (ब) टोलेमी

(स) चरक (द) हिप्पोक्रेट्स

□

III
आविष्कार

विद्युतीय, यांत्रिक

98. प्रिंटिंग प्रेस का आविष्कारक कौन है ?
    (अ) गेल बॉर्डेन (ब) आर.डब्ल्यू. थॉमसन
    (स) जोहान गुटेनबर्ग (द) आर.आर. बेनेट
99. जेट हवाई जहाज का आविष्कारक कौन है ?
    (अ) फ्रैंक ह्विटल (ब) राइट बंधु
    (स) ऑटो लिलिएंथल (द) वैनेवर बुश
100. टेलीफोन का आविष्कार किसने किया ?
    (अ) एलेक्जेंडर जी. बेल (ब) जे.एल. बेयर्ड
    (स) निकोला टेस्ला (द) जेम्स डेवर
101. रेडियो वाल्व का आविष्कार किसने किया ?
    (अ) विलियम शॉकली (ब) जॉन ब्रेटेन
    (स) ली.डी. फॉरेस्ट (द) जैक किल्बी
102. टरबाइन का आविष्कार किसने किया ?
    (अ) चार्ल्स पार्सन (ब) रूडोल्फ डीजल
    (स) जॉर्ज वेस्टिंगहाउस (द) रॉबर्ट फुल्टन
103. थर्मस फ्लास्क का आविष्कारक कौन है ?
    (अ) यूजेन गोल्डस्टीन (ब) ऑलिवर लॉज
    (स) डेनिस पेपिन (द) जेम्स डेवर
104. वायुपोत (एयरशिप) का आविष्कारक कौन है ?
    (अ) मोंटगोल्फियर बंधु (ब) फर्डिनेंड जेपलिन

(स) अगस्त पिकार्ड (द) जूल्स वर्न

105. सिलाई मशीन का आविष्कारक किसे माना जाता है?
(अ) एलियस हॉ (ब) विलियम थॉमस
(स) आई.एम. सिंगर (द) हेनरिक गीसलर

106. रेलवे इंजन का आविष्कारक कौन है?
(अ) रिचर्ड ट्रेवेथिक (ब) जॉर्ज स्टीफेंसन
(स) इली ह्विटनी (द) डब्ल्यू.एच.एफ. टैलबोट

107. सेफ्टी पिन का आविष्कार किसने किया?
(अ) चार्ल्स गुडइयर (ब) स्टेवर्ट हारशोन
(स) वाल्टर हंट (द) ए. रोज

108. टेलीस्कोप का आविष्कार किसने किया?
(अ) गैलीलियो गैलिली (ब) हेंस लिप्परशी
(स) रॉबर्ट हूक (द) हिप्पैरकस

109. स्लाइड रूल का आविष्कारक कौन है?
(अ) ब्लेज पास्कल (ब) विलियम आउटरेड
(स) पियरे लाप्लास (द) जॉन नेपियर

110. कार्बन डाइऑक्साइड लेजर का आविष्कारक कौन है?
(अ) चार्ल्स टाउंस (ब) सी.के.एन. पटेल
(स) विक्रम साराभाई (द) रॉबर्ट नॉएस

111. लघुगणक का आविष्कारक कौन है?
(अ) जॉर्ज बूल (ब) जॉन नेपियर
(स) ब्लेज पास्कल (द) कार्ल गॉस

112. समुद्र से तेल प्रदूषण खत्म करनेवाले सुपरबग का आविष्कार किसने किया?
(अ) पी.एम. भार्गव (ब) ए.एम. चक्रवर्ती
(स) स्टीफन जे. गाउल्ड (द) रॉबर्ट गैलो

113. शून्य का आविष्कारक कौन है?
(अ) वराहमिहिर (ब) अरस्तू
(स) भास्कर (द) उपर्युक्त में से कोई नहीं

114. किस विख्यात महासागर वैज्ञानिक ने पानी के अंदर फोटोग्राफी के लिए कुछ यंत्रों का आविष्कार किया?

(अ) डेविड एटेनबरॉ (ब) जैक्स वेस कोस्ट्यू
(स) ऑर्थर सी. क्लार्क (द) जैक्स मोनोद

115. कंप्यूटर के बारे में बात करते हैं तो कई नाम जेहन में आते हैं, मगर सबसे पहले किसने इसके बारे में संपूर्णता से सोचा?
(अ) अल काशी (ब) जी.डब्ल्यू. लैब्निज
(स) चार्ल्स बैबेज (द) काउंट लवलेस

116. किसने राडार का आविष्कार किया और दूसरे विश्वयुद्ध में ज्वार का रुख मोड़ दिया?
(अ) कार्ल जॉन्स्की (ब) रॉबर्ट वाटसन वाट
(स) थॉमस एडीसन (द) जी. मारकोनी

रासायनिक

117. फोटोग्राफी का आविष्कारक कौन है?
(अ) लुईस डैगुअरे (ब) जॉन हर्शेल
(स) मैथ्यू ब्राडी (द) निकोलस ओटो

118. लोहा से इस्पात बनाने की विधि का आविष्कार किसने किया?
(अ) हेनरी बेसेमर (ब) रॉबर्ट फुल्टन
(स) थॉमस एंड्रयूज (द) सैमुअल क्रॉम्पटन

119. वल्केनाइट रबर का आविष्कार किसने किया?
(अ) विलियम फायरस्टोन (ब) चार्ल्स गुडइयर
(स) विलियम पार्किंस (द) अल्फ्रेड नोबेल

120. किसने सेल्यूलाइड फिल्म का आविष्कार किया, जिससे सिनेमा बनना संभव हो सका?
(अ) सिडनी डब्ल्यू. फॉक्स (ब) जॉर्ज ईस्टमैन
(स) विलियम फ्रीस ग्रीन (द) सैमुअल लैंग्ले

121. भवन निर्माण में इस्तेमाल होनेवाली सीमेंट का आविष्कारक कौन है?
(अ) जोसफ एस्पडिन (ब) चार्ल्स बॉयल
(स) एलिशा ओटिस (द) डब्ल्यू.एच.एफ. टैलबोट

122. विद्युत् बैटरी का आविष्कार किसने किया?
(अ) एलेक्जेंड्रो वोल्टा (ब) आंद्रे एंपीयर
(स) बेंजामिन फ्रैंकलिन (द) लुइगी गैल्वेनी

123. सेलोफेन का आविष्कारक कौन है ?

(अ) चार्ल्स क्रॉस (ब) विलियम एफ. लिबी

(स) हेंस फिशर (द) एच.डब्ल्यू. नर्नस्ट

124. सिंथेटिक रंग का आविष्कार किसने किया ?

(अ) अर्नेस्ट सोल्वे (ब) विलियम पार्किंस

(स) कार्ल ग्रेबे (द) फ्रिट्ज हेबर

125. व्यापारिक रूप से सफल प्रथम थर्मोसेटिंग प्लास्टिक रेजिन 'बेकेलाइट' का आविष्कार किसने किया ?

(अ) एल.एच. बेकेलैंड (ब) जोहान बेयर

(स) मेल्विन कैल्विन (द) जॉन लार्सन

126. डायनामाइट और विस्फोटक जिलेटिन का आविष्कारक कौन है ?

(अ) हेनरी कैवेंडिश (ब) एंटोनी लैवोजियर

(स) अल्फ्रेड नोबेल (द) हंफ्री डेवी

127. कृत्रिम रेशम का आविष्कार किसने किया ?

(अ) जोसफ डब्ल्यू. स्वान (ब) जॉन वेल्स

(स) रोस्लिन डी. यंग (द) फ्रैंक एफ. जेवेट

□

IV

साहसी

अंतरिक्ष यात्री

128. निम्नलिखित अंतरिक्ष यात्रियों में से कौन राजनीतिज्ञ बन चुका है ?
(अ) फ्रैंक बोरमैन (ब) थॉमस स्टैफोर्ड
(स) जॉन ग्लेन (द) गेरमैन टीटोव

129. अंतरिक्ष में चलनेवाला पहला आदमी कौन था ?
(अ) जॉन ग्लेन (ब) अलेक्सेई लियोनोव
(स) जॉन यंग (द) एलन शेपर्ड

130. पहला एशियाई अंतरिक्ष यात्री कौन था ?
(अ) राकेश शर्मा
(ब) रविश मल्होत्रा
(स) सुल्तान सलमान अब्देल अजीज अल सउद
(द) फाम टान

131. सैंतालीस वर्ष की उम्र में किसने अंतरिक्ष की उड़ान भरी ?
(अ) जॉन यंग (ब) व्लादिमिर शतालोव
(स) जी.टी. बेरगोवोई (द) जेम्स लोवेल

132. अंतरिक्ष में ज्यादा दिनों तक ठहरने का रिकॉर्ड किसने बनाया ?
(अ) यूरी मैलिशेव, गेनाडी स्ट्रेकालोव और राकेश शर्मा
(ब) अलेक्सेई गुबारेव और व्लादिमिर रेमेक
(स) व्लादिमिर लियाखोव, वेलेरी रियूमिन और इगोर वोल्क
(द) लियोनिद किजिम, व्लादिमिर सोलोव्योव और ओलेग एत्कोव

133. प्रथम अंतरिक्ष यान के पायलट कौन-कौन थे ?

(अ) चार्ल्स बॉरमैन, गाई गार्डनर, ब्रियां-ओ-कॉनर और जॉन यंग
(ब) राबर्ट क्रिपेन और जॉन यंग
(स) ज्यॉ एंगल और रिचर्ड टूली
(द) जोसफ एलेन, वेंस ब्रांड, विलियम लैनोएर और रॉबर्ट ओवरमीयर

134. अंतरिक्ष यात्रा करनेवाली पहली महिला कौन थी?
(अ) सैली राइड
(ब) रिया सेड्डॉन
(स) वेलेन्टीना तेरेश्कोवा
(द) अन्ना फिशर

135. अंतरिक्ष यात्रा के दौरान किस महिला अंतरिक्ष यात्री की मौत हो गई थी?
(अ) मेरी क्लीव
(ब) क्रिस्टा मैकऑलिफ
(स) रिया सेड्डॉन
(द) जूडी रेस्निक

136. अंतरिक्ष में मरनेवाला प्रथम व्यक्ति कौन था?
(अ) व्लादिमिर कोमारोव
(ब) यूरी गगारिन
(स) एडवर्ड ह्वाइट-II
(द) एलेक्सेई येलीस्येव

137. चाँद को छोड़नेवाला आखिरी अंतरिक्ष यात्री कौन था?
(अ) यूजीन सेरनेन
(ब) हैरिसन शिमट
(स) नील आर्मस्ट्राँग
(द) एडविन एल्ड्रिन

खोजकर्ता

138. क्रिस्टोफर कोलंबस ने न सिर्फ अमेरिका की खोज की, बल्कि नए नस्ल के लोग, नए पौधे, नए माहौल भी खोजे। इस यात्रा अभियान के लिए किसने उसे प्रायोजित किया था?
(अ) स्पेन के राजा फर्डिनेंड
(ब) पुर्तगाल के जॉन-II
(स) फ्रांस के लुईस-XII
(द) उपर्युक्त में से कोई नहीं

139. सन् 1898 में सूर्यग्रहण अभियान का नेतृत्व करनेवाला पहला भारतीय कौन था?
(अ) एम.के. वेणु बापू
(ब) के.डी. निगमवाला
(स) ए.एल. नारायण
(द) सी. नागराज अय्यर

140. शीतकाल के दौरान अंटार्कटिका में ठहरनेवाले प्रथम भारतीय दल का नेता कौन था?
(अ) एच.के. गुप्ता
(ब) वी.के. रैना
(स) एस.एस. शर्मा
(द) एस.जेड. कासिम

141. मध्य और दक्षिण अफ्रीका की खोज किसने की? विक्टोरिया जलप्रपात की खोज भी उसीने की थी।

(अ) डेविड लिविंगस्टोन (ब) अल्फ्रेड वैलेस
(स) रिचर्ड लीकी (द) हेनरी नॉरटन स्टेनली

142. ग्रीनलैंड के लिए प्रथम अभियान का नेतृत्व किसने किया, जो बाद में द्वीप सिद्ध हुआ?

(अ) रॉबर्ट ई. पियरी (ब) जॉन मिल्ने
(स) गैब्रियल ए. डॉब्री (द) डाइसिएरकस

143. उत्तरी चुंबकीय ध्रुवस्थल की खोज किसने की?

(अ) रोल्ड ई. एमंडसन (ब) विलियम गिलबर्ट
(स) हेंस सी. ऑर्सटेड (द) उपर्युक्त में से कोई नहीं

144. दक्षिणी ध्रुव के लिए रोल्ड एमंडसन की यात्रा को किसने प्रायोजित किया था?

(अ) नॉर्वे के राजा हैक्कोन-VII (ब) पोप सिल्वेस्टर-II
(स) ब्रिटिश सरकार (द) पोप एलेक्जेंडर-VI

145. पृथ्वी का चक्कर लगाने के लिए प्रथम समुद्री अभियान का नेतृत्व किसने किया?

(अ) मार्को पोलो (ब) क्यूसा का निकोलस
(स) टोलेमी (द) फर्डिनेंड मैगेलन

146. शीतकाल के दौरान अंटार्कटिका में पहली बार ठहरनेवाले अभियान का नेतृत्व किसने किया?

(अ) लियोनार्द क्रिस्टेंसन (ब) जेम्स क्लार्क रॉस
(स) एड्रियन डि गरलैश (द) ई. बोर्चग्रेविंक

147. अंटार्कटिका को छोड़कर दक्षिणी हेमिस्फियर का नक्शा बनानेवाले वैज्ञानिक अभियान का नेतृत्व किसने किया?

(अ) रिचर्ड बाइर्ड (ब) चार्ल्स बीब
(स) जेम्स कुक (द) जैक्स वेस कोस्ट्यू

148. एक सिद्धांत की जाँच के लिए 'कोन टिकी अभियान' का नेतृत्व किसने किया?

(अ) अर्नेस्ट शैकलटन (ब) थोर हेयरडाल
(स) जेम्स हट्टन (द) पॉल मैकक्रीडी □

V

यंत्र, युक्ति और प्रयोग

यंत्र

149. सबसे शक्तिशाली 'इलेक्ट्रॉन माइक्रोस्कोप' कहाँ स्थापित है ?
(अ) संयुक्त राज्य अमेरिका (ब) जर्मनी
(स) जापान (द) ब्रिटेन

150. निम्नलिखित तकनीकों में से एक तकनीक अणुओं की संरचना निर्धारण से नहीं जुड़ी है :
(अ) मास स्पेक्ट्रोस्कोपी (ब) एक्स-रे क्रिस्टेलोग्राफी
(स) कंप्यूटर एडेड डिजाइन (द) उपर्युक्त में से कोई नहीं

151. दिन में किसी जगह के बदलते तापक्रम को मापने के लिए किस यंत्र का इस्तेमाल किया जाएगा ?
(अ) सिक्स का अधिकतम और न्यूनतम थर्मामीटर
(ब) क्लिनिकल थर्मामीटर (स) अल्टीमीटर (द) बोलोमीटर

152. परमाणु को तोड़नेवाला सबसे ज्यादा शक्तिशाली एक्सीलेरेटर कहाँ स्थापित है ?
(अ) जिनेवा, स्विट्जरलैंड
(ब) इलिनियस, संयुक्त राज्य अमेरिका
(स) बर्कले, संयुक्त राज्य अमेरिका
(द) बॉन, जर्मनी

153. निम्नलिखित यंत्रों में से किसका इस्तेमाल जलपोत चलाने के लिए किया जाएगा ?
(अ) एनेरॉएड बैरोमीटर (ब) सोनोमीटर

(स) टेलीस्कोप (द) सेक्सटेंट

154. किसी वस्तु में उपस्थित तत्त्वों के निर्धारण के लिएं किस यंत्र का प्रयोग किया जाएगा ?

(अ) माइक्रोस्कोप (ब) पेरिस्कोप

(स) स्पेक्ट्रोस्कोप (द) मैग्नेटोमीटर

155. किसी व्यक्ति के हृदय की धड़कन मापने हेतु डॉक्टर उपयोग करता है :

(अ) वोल्टमीटर (ब) कार्डियोग्राम

(स) स्टेथेस्कोप (द) अल्टीमीटर

156. दुनिया का सबसे बड़ा टेलीस्कोप कहाँ स्थित है ?

(अ) कैंब्रिज, ब्रिटेन (ब) प्यूर्टोरिको, संयुक्त राज्य अमेरिका

(स) न्यू मेक्सिको (द) वेस्टरबोर्क, नीदरलैंड

157. किसी स्थान का वायुमंडलीय दाब मापने के लिए किस यंत्र का उपयोग किया जाता है ?

(अ) बैरोमीटर (ब) हाइग्रोमीटर

(स) एनीमोमीटर (द) थर्मामीटर

158. किसी तरल पदार्थ का घनत्व किस यंत्र से मापते हैं ?

(अ) हाइड्रोमीटर (ब) हाइग्रोमीटर

(स) गैल्वेनोमीटर (द) सोनोमीटर

159. कोई बैटरी बिजली की धारा बना रही है या नहीं, इसकी जाँच किस यंत्र से होती है ?

(अ) माइक्रोस्कोप (ब) चुंबकीय कंपास

(स) गैल्वेनोमीटर (द) स्पेक्ट्रोस्कोप

160. आपकी गाड़ी कितनी दूरी चली है, इसे बताने के लिए किस यंत्र का डायल सूचना देता है ?

(अ) स्पीडोमीटर (ब) बैरोमीटर

(स) अमीटर (द) मीलोमीटर

161. किसी स्थान के भूकंप मापन के लिए किस यंत्र का इस्तेमाल करते हैं ?

(अ) टेलीग्राफ (ब) माइक्रोमीटर

(स) सिस्मोग्राफ (द) स्पेक्ट्रोग्राफ

162. दुनिया का सबसे बड़ा 'ऑप्टिकल टेलीस्कोप' कहाँ स्थित है ?

(अ) माउंट पालोमर, संयुक्त राज्य अमेरिका

(ब) माउंट सेमिरोद्रिकी, पूर्व सोवियत संघ

(स) माउंट हॉपकिंस, संयुक्त राज्य अमेरिका

(द) मौना की, हवाई

युक्ति

163. बिजली की घंटी किस पर काम करती है?

(अ) विद्युत्-चुंबकीय प्रवाहन (इंडक्शन)

(ब) विद्युत्-रासायनिक अभिक्रिया

(स) चुंबकत्व (द) उपर्युक्त में से कोई नहीं

164. यदि रोशनी बहुत ज्यादा है तो फोटोग्राफ लेने के लिए निम्नलिखित में से किसका उपयोग करेंगे?

(अ) फिल्टर (ब) फ्लैश

(स) स्क्रीन (द) उपर्युक्त में से कोई नहीं

165. एक टेलीविजन तसवीरें दिखा सकता है, लेकिन किस उपकरण के बिना तसवीर स्पष्ट नहीं आएगी?

(अ) एंटीना (ब) रिमोट कंट्रोलर

(स) दोनों (द) वोल्टेज स्टेब्लाइजर

166. एक टेप रिकॉर्डर को निम्नलिखित में से किसके पास नहीं रखना चाहिए?

(अ) घड़ी (ब) चुंबक

(स) बिजली का स्विच बोर्ड (द) रेडियो

167. एक जेरोक्स मशीन किस तरह काम करती है?

(अ) विद्युत् चुंबकीय तसवीर निर्माण (इलेक्ट्रो-मैग्नेटिक इमेज मेकिंग)

(ब) विद्युत् स्थैतिक तसवीर निर्माण (इलेक्ट्रो-स्टैटिक इमेज मेकिंग)

(स) चुंबकीय तसवीर निर्माण (मैग्नेटिक इमेज मेकिंग)

(द) वाष्पीय तसवीर निर्माण (थर्मल इमेज मेकिंग)

168. शॉर्ट सर्किट होने की स्थिति में निम्नलिखित में से किसे पास में रखना चाहिए, ताकि काम में आसानी हो सके?

(अ) फ्यूज के तार (ब) गैल्वेनोमीटर

(स) ट्रांजिस्टर (द) कोई भी नहीं

169. यदि घर में कंप्यूटर मौजूद है तो निम्नलिखित में से किसकी जाँच करें?

(अ) बिजली की लीकेज (ब) वोल्टेज में उतार-चढ़ाव

(स) ट्रैफिक (द) पानी की लीकेज

170. यदि यह महत्त्वपूर्ण पुरजा काम नहीं कर रहा है तो गाड़ी एक इंच भी आगे नहीं चलेगी :

(अ) मिलोमीटर (ब) हॉर्न

(स) स्पार्क प्लग (द) ब्रेक

171. परमाणु युद्ध के दौरान किस प्रकार की ऊर्जा से अस्पतालों, घरों और हवाई जहाजों के इलेक्ट्रॉनिक पुरजे नष्ट हो जाएँगे ?

(अ) नाभिकीय विकिरण (ब) ताप

(स) पराबैंगनी किरणें (द) इलेक्ट्रॉनिक पल्स

172. बिजली के साधारण बल्ब में फिलामेंट किस चीज का बना होता है ?

(अ) टंगस्टन (ब) प्लैटिनम

(स) लेड (द) कार्बन

173. बिजली की ट्यूब में लगा कौन सा पदार्थ विद्युत् चमक को दूधिया रोशनी में बदल देता है ?

(अ) फास्फोरस (ब) मरकरी क्लोराइड

(स) सिलिका (द) चूना

174. बिजली की बैटरी कैसे काम करती है ?

(अ) विद्युत्-रासायनिक अभिक्रिया से (ब) सौर ऊर्जा से

(स) विद्युत्-चुंबकीय प्रवाहन से (द) चुंबकत्व से

प्रयोग

175. किस प्रयोग ने न सिर्फ प्रकाश के वेग को सही-सही मापा, बल्कि इथर सिद्धांत की हमेशा के लिए धज्जियाँ उड़ा दीं ?

(अ) माइकल्सन-मोर्ली प्रयोग (ब) फिज्यू प्रयोग

(स) वेबर प्रयोग (द) आइंस्टीन प्रयोग

176. सबसे ज्यादा काल्पनिक 'इलेवेटर' प्रयोग किसने किया ? उसके क्रांतिकारी सिद्धांत को कल्पना की छलाँग माना जाता है ?

(अ) निकोलस कॉपरनिकस (ब) वुल्फगैंग पॉली

(स) जॉर्ज एफ. फिट्जगेराल्ड (द) अल्बर्ट आइंस्टीन

177. लुईस पाश्चर ने बीमारियों के रोगाणु सिद्धांत को साबित करने के लिए एक प्रसिद्ध प्रयोग किया था। उसके प्रयोग में मुख्य साधन क्या था ?

(अ) लाईबिग कंडेंसर (ब) हीटर

(स) S आकार की गरदनवाला फ्लास्क (द) गोल पेंदेवाला जार

178. बारबरा मैक्लिंटॉक ने अपने प्रयोग के लिए किस जीवित जीव का इस्तेमाल किया, जिसकी वजह से 'जंपिंग जीन' की खोज हो पाई?

(अ) खरगोश (ब) फल मक्खी

(स) मक्का (द) मटर

179. बेंजीन की संरचना की खोज अगस्त केकुले ने की, जब उसने :

(अ) व्यवस्थित तरीके से एक प्रयोग किया

(ब) साँपों के बारे में सपने देख रहा था

(स) हलवाई की दुकान पर पाव-रोटी खरीद रहा था

(द) अपने दोस्त के साथ इस विषय पर बात कर रहा था

180. वह प्रथम प्रयोग किसने किया, जिससे यह साबित हुआ कि धरती पर जीवन की उत्पत्ति रासायनिक विकास का परिणाम हो सकती है?

(अ) स्टेनले एल. मिलर (ब) एच.सी. उरी

(स) जे.बी.एस. हाल्डेन (द) रॉबर्ट कोच

181. फ्रैंक ड्रेक वह पहला व्यक्ति था, जिसने धरती पर हमारी उपस्थिति के बारे में तारों पर रेडियो संकेत भेजने की पहली कोशिश की थी। वह तारा कौन सा था?

(अ) ताऊ सेटी (ब) बर्नार्ड तारा

(स) अल्फा सेंटारी (द) प्रॉक्सिमा सेंटारी

182. वह प्रयोग किसने किया, जिससे पहली बार 'निर्वात' की स्थिति पैदा हुई?

(अ) ई. टोरिसेली (ब) ब्लेज पास्कल

(स) चार्ल्स बॉयल (द) लॉर्ड रेले

183. इरेटोस्थेनेस ने धूप में दो शहरों में शरीर की छाया की माप के द्वारा धरती के आकार को मापा था। ये दोनों शहर कौन से थे?

(अ) एलेक्जेंड्रिया और बगदाद (ब) एलेक्जेंड्रिया और सीन

(स) एलेक्जेंड्रिया और साइराक्यूज (द) सीन और साइराक्यूज

184. बेंजामिन फ्रैंकलिन ने तड़ित बिजली की चमकन में विद्युत् प्रवाह की खोज की। इस खोज के लिए उसने किस चीज का इस्तेमाल किया?

(अ) पतंग (ब) इलेक्ट्रोस्टेट

(स) गैल्वेनोमीटर (द) विद्युत् संवाहक

185. वह प्रसिद्ध प्रयोग कहाँ हुआ था, जिससे यह पता चला कि भारी और हलकी दोनों ही प्रकार की वस्तु को धरती पर गिरने में समान समय लगता है ?

(अ) एम्पायर स्टेट बिल्डिंग (ब) एफिल टॉवर

(स) पीसा की झुकी मीनार (द) कुतुब मीनार

186. प्रयोग के जरिए अल्बर्ट आइंस्टीन का सापेक्षता सिद्धांत पहली बार किसकी मदद से सही साबित हुआ ?

(अ) अंतरिक्ष यान (ब) साइक्लोट्रॉन

(स) सूर्यग्रहण (द) चंद्रग्रहण

□

VI

रसायन और तत्त्व

रसायन

187. निम्नलिखित रासायनिक मिश्रणों में से बताएँ कि गाड़ियाँ चलाने के लिए ईंधन के रूप में जल्दी ही किसका इस्तेमाल किया जा सकता है ?

(अ) इथेनॉल (ब) इथीन

(स) इथीलिन (द) इथेन

188. आंतरिक दहनवाले इंजन में पेट्रोल के प्रदर्शन की माप क्या है ?

(अ) ऑक्टेव संख्या (ब) ऑक्टेन संख्या

(स) कच्चे तेल का अंश (द) केरोसिन तेल का अंश

189. किसका इस्तेमाल डिजिटल घड़ियों में डिस्प्ले के लिए किया जाता है ?

(अ) गैलियम आर्सेनाइड (ब) सिलिकन वैफर

(स) तरल क्रिस्टल (द) क्वाट्‌र्ज

190. काँच बना होता है :

(अ) बालू आदि का (ब) कैल्शियम आदि का

(स) बोरोन आदि का (द) ग्लाइकोल आदि का

191. निम्नलिखित ओषधियों में से कौन कोला पेय में उपस्थित रहता है ?

(अ) वैलियम (ब) कोकीन

(स) ओपिएट (द) कैफीन

192. जीवित जीव की कौन सी चीज प्रयोगशाला में पहली बार बनाई गई ?

(अ) यूरिया (ब) ग्लूकोज

(स) फ्रक्टोज (द) अमीनो अम्ल

193. अग्रलिखित ईंधनों में से कौन प्रति ग्राम सबसे ज्यादा ताप पैदा करता है ?

(अ) गैसोलिन (ब) हाइड्रोजन
(स) ऑक्सीजन (द) कोयला

194. दंतक्षय से बचाव के लिए पानी में कौन सा रसायन मिलाया जाता है ?
(अ) फ्लोराइड (ब) क्लोराइड
(स) ब्रोमाइड (द) सल्फाइड

195. निम्नलिखित पेयों में सबसे कम अल्कोहल की मात्रा किसमें रहती है ?
(अ) बीयर (ब) वोद्का
(स) शराब (द) जिन

196. यदि एक रसायन तुम्हें दिया जाए तो कैसे जानोगे कि यह शुद्ध है ?
(अ) इसे चखकर (ब) इसका रंग देखकर
(स) इसके गलनांक की जाँच कर (द) सूँघकर

197. कंकड़, ईंट या पत्थर मिश्रित सीमेंट को क्या कहते हैं ?
(अ) चूना (ब) चॉक
(स) मोर्टार (द) कंक्रीट

198. बरसाती किस चीज की बनी होती है ?
(अ) पोलीथीन (ब) पोलीस्टिरिन
(स) पोलीक्लोरिथीन (द) बिटुमेन

199. निम्नलिखित में से तंबाकू में कौन सा तत्त्व मौजूद रहता है ?
(अ) मारिजुआना (ब) हेरोइन
(स) निकोटिन (द) कोकीन

200. असंगत मिश्रण (एनामोलस कंपाउंड) किसे माना जाता है ?
(अ) पानी (ब) सोडियम क्लोराइड
(स) फार्मिक अम्ल (द) फार्मेल्डीहाइड

201. निम्नलिखित रसायनों में से किसका इस्तेमाल रेफ्रिजरेटर में ठंडक करने के उद्देश्य से किया जाता है ?
(अ) रेडॉन (ब) फ्रिऑन
(स) सोडियम (द) फ्लोरिन

202. मिनिमाटा रोग किस रसायन की वजह से होता है ?
(अ) डी.डी.टी. (ब) कैडमियम
(स) पारा (द) गंधकाम्ल

तत्त्व

203. कौन सा तत्त्व आसानी से शृंखला बना सकता है ?

(अ) सिलिका (ब) कार्बन

(स) हाइड्रोजन (द) नाइट्रोजन

204. किस पुस्तक में एक रासायनिक तत्त्व की पहली वैज्ञानिक परिभाषा दी गई है ?

(अ) सिद्धांत (ब) दि स्केप्टिकल कैमिस्ट

(स) दि प्रिंसिपिया (द) एलिमेंट्स

205. पृथ्वी की पपड़ियों में कौन सा तत्त्व प्रचुर मात्रा में मौजूद है ?

(अ) ऑक्सीजन (ब) कैल्शियम

(स) कार्बन (द) सिलिकन

206. कौन सा तत्त्व सजीव प्राणियों में कम मात्रा में मौजूद रहता है ?

(अ) आयोडीन (ब) मैंगनीज

(स) गंधक (द) जस्ता

207. प्राकृतिक रबर में किस रसायन को मिलाने से गरमी के मौसम में कम चिपकनेवाला और सर्दी के मौसम में कम कड़ा हो जाता है ?

(अ) फास्फोरस (ब) गंधक

(स) कार्बन (द) सिलिका

208. रेडियो सक्रिय रूप में किस तत्त्व का इस्तेमाल प्राचीन कलात्मक वस्तुएँ, अवशेष, अस्थियों आदि के आयु निर्धारण के लिए किया जाता है ?

(अ) पोटैशियम (ब) फास्फोरस

(स) गंधक (द) कार्बन

209. मानव शरीर में कोबाल्ट की पर्याप्त मात्रा के अभाव में कौन सी बीमारी होती है ?

(अ) नुकसानदेह रक्ताल्पता (ब) गठिया

(स) ल्यूकोडर्मा (द) माल्टा बुखार

210. गंधक का सबसे आम प्राकृतिक स्रोत क्या है ?

(अ) भूस्खलन (ब) भूकंप क्षेत्र

(स) ज्वालामुखी क्षेत्र (द) खेती की जमीन

211. किस तत्त्व की सबसे ज्यादा मात्रा सजीव प्राणी में मिलती है ?

(अ) लौह (ब) सोडियम

(स) गंधक (द) कैल्शियम

212. मानव शरीर में आयोडीन की गैर मौजूदगी में कौन सी बीमारी होती है ?

(अ) अनिद्रा (ब) हैजा

(स) घेंघा (द) रिकेट्स

☐

VII

अम्ल और गैस

अम्ल

213. सोडा वाटर में होता है :
   (अ) कार्बनिक अम्ल (ब) गंधकाम्ल
   (स) कार्बोक्सिलिक अम्ल (द) नाइट्रस अम्ल

214. दवाओं में पाए जानेवाले एंटासिड उपचार करते हैं :
   (अ) सिरदर्द का (ब) मुँहासों का
   (स) पेटदर्द का (द) दृष्टि का

215. निम्नलिखित अम्लों में से कौन सा खनिज अम्ल नहीं है ?
   (अ) हाइड्रोक्लोरिक अम्ल (ब) गंधकाम्ल
   (स) नाइट्रिक अम्ल (द) ग्लूटामिक अम्ल

216. टमाटर की चटनी में पाया जाता है :
   (अ) साइट्रिक अम्ल (ब) एसीटिक अम्ल
   (स) ऑलिक अम्ल (द) मैलिक अम्ल

217. गंधकाम्ल और किस रूप में मौजूद है ?
   (अ) ओलियम (ब) सल्फ्यूरस अम्ल
   (स) सल्फर ऑक्साइड (द) गंधक का तेल

218. फॉर्मिक अम्ल पाया जाता है :
   (अ) चींटी और बिच्छुओं में (ब) फल में
   (स) पेड़ के तने में (द) फूल में

219. प्रोटीन किस अम्ल से बनते हैं ?
   (अ) आयोडिक अम्ल (ब) फॉर्मिक अम्ल

(स) नाइट्रिक अम्ल (द) अमीनो अम्ल

220. निम्नलिखित में से एक अम्ल एंटीसेप्टिक आई लोशन के रूप में इस्तेमाल होता है ?

(अ) बोरिक अम्ल (ब) कार्बोनिक अम्ल

(स) हाइड्रोक्लोरिक अम्ल (द) प्रोपेनोइक अम्ल

221. एक अम्ल की अम्लता की माप क्या है ?

(अ) आयन (ब) पी.एच.

(स) गलनांक (द) हिमांक

222. यह सांद्र नाइट्रिक अम्ल और कुछ हाइड्रोक्लोरिक अम्ल का एक मिश्रण है, जिसका इस्तेमाल सभी धातुओं को घुलाने के लिए किया जाता है ?

(अ) ओलियम (ब) एक्वारेजिया

(स) स्किफ रिएजेंट (द) ग्रिगनार्ड रिएजेंट

223. एस्कोर्बिक अम्ल को और क्या कहते हैं ?

(अ) विटामिन-ए (ब) विटामिन-सी

(स) एसीटिक अम्ल (द) उपर्युक्त में से कोई नहीं

224. अंगूर में पाया जाता है :

(अ) नाइट्रिक अम्ल (ब) कार्बोक्सिलिक अम्ल

(स) साइट्रिक अम्ल (द) आयोडिक अम्ल

गैस

225. इसे मार्श गैस के रूप में भी जाना जाता है, चूँकि यह दलदल के पास पाई जाती है :

(अ) हाइड्रोजन सल्फाइड (ब) सल्फर ट्राइऑक्साइड

(स) सल्फर डाइऑक्साइड (द) मीथेन

226. निम्नांकित गैसों में से किसका इस्तेमाल बैक्टीरिया मारने में होता है ?

(अ) क्लोरीन (ब) कार्बन डाइऑक्साइड

(स) नाइट्रोजन (द) उपर्युक्त में से कोई नहीं

227. जलीय फेफड़े (एक्वालंग) में गोताखोर साँस लेने के लिए किस गैस को ऑक्सीजन के साथ मिलाते हैं ?

(अ) ऑरगन (ब) नाइट्रोजन

(स) हीलियम (द) उपर्युक्त में से कोई नहीं

228. गुब्बारों और हवाई जहाजों में किस गैस का इस्तेमाल होता है ?
(अ) हाइड्रोजन (ब) हीलियम
(स) कार्बन डाइऑक्साइड (द) हाइड्रोजन सल्फाइड

229. बिजली के बल्ब में कौन सी गैस भरी रहती है ?
(अ) ऑक्सीजन (ब) कार्बन डाइऑक्साइड
(स) ऑरगन (द) नाइट्रोजन

230. कारखानों और यातायात के साधनों से कौन सी गैस निकलती है, जो जीवन के लिए नुकसानदेह है ?
(अ) सल्फर डाइऑक्साइड (ब) कार्बन डाइऑक्साइड
(स) नाइट्रोजन डाइऑक्साइड (द) कार्बन मोनोक्साइड

231. कार्बन मोनोक्साइड और हाइड्रोजन का एक मिश्रण कई कार्बनिक कंपाउंड बनाने के लिए शुरुआती पदार्थ है :
(अ) प्रोड्यूसर गैस (ब) नेचरल गैस
(स) सिंथेसिस गैस (द) वाटर गैस

232. निम्नलिखित गैसों में से किसका इस्तेमाल रात में देखने के लिए बहुरंगी डिस्प्ले संकेतक के रूप में किया जाता है ?
(अ) जेनॉन (ब) नियॉन
(स) ऑरगन (द) क्रिप्टॉन

233. सितारों के बीच अंतरिक्ष में कौन सी आम गैस मिलती है ?
(अ) ऑक्सीजन (ब) हीलियम
(स) मीथेन (द) हाइड्रोजन

234. वायु में मौजूद मुख्य गैसें हैं :
(अ) नाइट्रोजन, ऑक्सीजन, जेनॉन, कार्बन डाइऑक्साइड
(ब) कार्बन डाइऑक्साइड, ऑरगन, ऑक्सीजन, हीलियम
(स) ऑरगन, ऑक्सीजन, कार्बन डाइऑक्साइड, नाइट्रोजन
(द) हाइड्रोजन, नाइट्रोजन, ऑक्सीजन, कार्बन डाइऑक्साइड

235. कुकिंग गैस में 90 प्रतिशत से ज्यादा कौन सी गैस रहती है ?
(अ) हाइड्रोजन (ब) सल्फर डाइऑक्साइड
(स) हीलियम (द) मीथेन

236. ठोस कार्बन डाइऑक्साइड को क्या कहते हैं ?
(अ) सोलकेयर (ब) सूखी बर्फ

(स) श्वेत कार्बन (द) ठोस डाइऑक्साइड

237. 'लाफिंग गैस' के नाम से मशहूर है :

(अ) नाइट्रोजन डाइऑक्साइड (ब) नाइट्रस ऑक्साइड

(स) नाइट्रोजन मोनोक्साइड (द) नाइट्रोजन

238. निम्नलिखित तरल या द्रव रूप में गैसों में से कौन कंटेनर की दीवारों पर ऊपर की ओर उड़ती है ?

(अ) पानी (ब) हीलियम

(स) हाइड्रोजन (द) ऑक्सीजन

☐

VIII

धातु और खनिज

धातु

239. पृथ्वी की परत में बहुत प्रचुर मात्रा में पाए जानेवाले धातु का नाम क्या है ?
   (अ) लोहा (ब) सीसा
   (स) ताँबा (द) एल्यूमीनियम

240. यदि निम्नलिखित में से एक धातु बहुत ही कम मात्रा में मौजूद न हो तो पौधे प्रोटीन बनाने के लिए हवा से नाइट्रोजन ले पाने में सक्षम नहीं होते हैं :
   (अ) ताँबा (ब) गैलियम
   (स) जिरकोनियम (द) मॉलिब्डेनम

241. सोने का सबसे बड़ा भंडार कहाँ है ?
   (अ) कोलार, भारत (ब) मुरुँताउ, पूर्व सोवियत संघ
   (स) बैलेरट, ऑस्ट्रेलिया (द) विट्वाटरस्रैंड, दक्षिण अफ्रीका

242. काँसा एक मिश्रित धातु है :
   (अ) एल्यूमीनियम, ताँबा और टिन का
   (ब) ताँबा, टिन और कोबाल्ट का
   (स) जस्ता, टिन और ताँबे का
   (द) टिन, एल्यूमीनियम और निकल का

243. कथित तौर पर शुद्ध सोने में निम्नलिखित में से एक धातु कम मात्रा में मौजूद रहती है :
   (अ) सोडियम (ब) ताँबा
   (स) टिन (द) मैग्नेशियम

244. सबसे ज्यादा इस्तेमाल में आनेवाली धातु कौन सी है ?

(अ) ताँबा
(ब) एल्यूमीनियम
(स) लोहा
(द) सोना

245. कौन सा तत्त्व इस्पात को जंग लगने से बचाता है ?

(अ) नाइट्रोजन
(ब) निकल
(स) टंगस्टन
(द) मैग्नेशियम

246. वह कौन सी धातु है, जो इस्पात की तरह मजबूत है, मगर वजन में आधी है ?

(अ) पारा
(ब) टाइटैनियम
(स) एल्यूमीनियम
(द) प्लैटिनम

247. भस्म धातुकर्म (पाउडर मेटलर्जी) तकनीक कहाँ ईजाद हुई थी ?

(अ) जर्मनी
(ब) ब्रिटेन
(स) ग्रीस
(द) भारत

248. निम्नलिखित प्राकृतिक स्रोतों में से बताइए कि निकट भविष्य में कीमती धातुओं को बड़े पैमाने पर खोद निकालने में किसका इस्तेमाल होगा ?

(अ) लाल सागर की कीचड़
(ब) मूँगा की चट्टान
(स) बहुधात्त्विक नोड्यूल
(द) ज्वालामुखी

249. कमरे के तापमान पर कौन सा धातु द्रव के रूप में रहता है ?

(अ) प्लैटिनम
(ब) क्रोमियम
(स) टंगस्टन
(द) पारा

250. निम्नलिखित धातुओं से बने कंटेनरों (बरतन) में से किस कंटेनर पर भोजन में उपस्थित अम्ल का कम प्रभाव पड़ेगा ?

(अ) लोहा
(ब) एल्यूमीनियम
(स) ताँबा
(द) जस्ता

251. दुनिया का पहला इस्पात कौन सा है ?

(अ) ड्यूराल्यूमिन
(ब) पीतल
(स) स्टेनलेस स्टील
(द) काँसा

खनिज

252. अग्रलिखित खनिजों में से किसका घरेलू नाम 'मूर्खों का सोना' है ? रंग में पीला होने की वजह से यह सोना होने का भ्रम पैदा करता है।

(अ) पाइराइट (ब) गैलेना

(स) फ्लोराइट (द) सिलिका

253. जहाँ कठोर जल उपलब्ध होता है, वहाँ यह खनिज ऐसे जमा हो जाता है, जैसे केतली में फर :

(अ) पाइरॉक्सिन (ब) हेलाइट

(स) अभ्रक (द) कैल्साइट

254. कौन सी चट्टान घरों की छत बनाने के लिए इस्तेमाल होती है ?

(अ) आग्नेइस (ब) स्लेट

(स) बैसाल्ट (द) ग्रेनाइट

255. इस खनिज को अकसर रगड़नेवाले के रूप में इस्तेमाल किया जाता है :

(अ) फ्लोराइट (ब) अभ्रक

(स) फेल्ड्स्पार (द) कोरंडम

256. किस खनिज का इस्तेमाल आभूषणों के लिए किया जाता है ?

(अ) अभ्रक (ब) गारनेट

(स) हेलाइट (द) उपर्युक्त में से कोई नहीं

257. किस खनिज का इस्तेमाल प्लास्टर और कागज बनाने में होता है ?

(अ) जिप्सम (ब) फेल्ड्स्पार

(स) सिलिका (द) उपर्युक्त में से कोई नहीं

258. भवन निर्माण के लिए पत्थर के रूप में किस चट्टान का इस्तेमाल होता है ?

(अ) उलाइट (ब) शेल

(स) ब्रेसिया (द) हार्नफेल्स

259. प्राकृतिक हीरा किसमें पाया जाता है ?

(अ) फ्लोराइट में (ब) कोवेलाइट में

(स) डायलेज में (द) किंबरलाइट में

260. पुराने समय में कंपास बनाने के लिए किस खनिज का इस्तेमाल होता था ?

(अ) जिप्सम (ब) हेमेटाइट

(स) मैग्नेटाइट (द) फेल्ड्स्पार

261. किस खनिज अयस्क की शक्ल वृक्क जैसी होती है ?

(अ) पाइराइट (ब) सिलिका

(स) हेमेटाइट (द) गैलेना

□

IX

प्राकृतिक घटना

कुदरत के करतब

262. यह परिघटना सूरज की सतह पर घटती है। बताइए कि यह किस दृष्टि-भ्रम की वजह से होती है ?
    (अ) सूरज की लौ
    (ब) सनस्पॉट
    (स) नोकदार चीज
    (द) उपर्युक्त में से कोई नहीं
263. निम्नलिखित चीजें आसमान से गिरती हैं। बताइए इनमें से कौन कुदरती विशेष क्रिस्टल जैसी संरचनावाला है ?
    (अ) उल्का पिंड
    (ब) हिम कण
    (स) वर्षा की बूँदें
    (द) उपर्युक्त में से कोई नहीं
264. धरती की सतह पर वायुरहित क्षेत्र को डोलड्रम कहते हैं। यह कहाँ होता है ?
    (अ) दक्षिण ध्रुव
    (ब) 60^0 दक्षिण और 30^0 दक्षिण के बीच
    (स) उत्तर ध्रुव
    (द) विषुवत् रेखा पर
265. निम्नलिखित प्राकृतिक परिघटना में से एक को संस्कृत में 'मृग की प्यास' के रूप में जाना जाता है ?
    (अ) इंद्रधनुष
    (ब) भू-दीप्ति
    (स) प्रभामंडल
    (द) मृग मरीचिका
266. टूटनेवाला तारा दरअसल एक :
    (अ) उल्का है
    (ब) सुपरनोवा है
    (स) पुच्छल तारा है
    (द) वातावरण में व्यवधान है
267. अग्रलिखित प्राकृतिक घटनाओं में से एक प्रकाश के प्रत्यावर्तन पर आधारित है :

(अ) इंद्रधनुष
(ब) ध्रुवीय प्रकाश
(स) धरती का प्रकाश
(द) तड़ित विद्युत्

268. सबसे कम शोर कहाँ सुनाई देता है ?
(अ) विषुवतीय जंगल
(ब) प्रसारण स्टूडियो
(स) मरुभूमि
(द) रहने का कमरा

269. निम्नलिखित में से कौन सी घटना घटती है, जब सूरज के रास्ते में कोई खास बाधा आती है ?
(अ) मृग मरीचिका
(ब) ओलावृष्टि
(स) चुंबकीय आँधी
(द) धूल की आँधी

270. हरी चमक कब दिखती है ?
(अ) बिजली चमकने के दौरान
(ब) सूरज की लपटों के दौरान
(स) सूर्योदय एवं सूर्यास्त के दौरान
(द) ज्वालामुखी विस्फोट के दौरान

271. चाहे दिन हो या रात, निम्नलिखित में से एक धरती की पूरी सतह पर लगातार गिरती रहती है ?
(अ) बारिश
(ब) उल्का
(स) कॉस्मिक किरण
(द) सौर हवाएँ

272. राशि प्रकाश (जोडियकिल लाइट) का उद्‌गम कहाँ है ?
(अ) ज्वालामुखी
(ब) हवा में बर्फ के कण
(स) धरती से परे धूल के बादल
(द) कॉस्मिक किरण

मौसम विज्ञान

273. 'भारतीय गरमी' कहाँ होती है ?
(अ) पूर्व सोवियत संघ
(ब) भारत
(स) ब्रिटेन
(द) बोर्नियो

274. किस मौसमी परिघटना से फसलों को नुकसान होता है ?
(अ) ओला
(ब) बारिश
(स) ओस
(द) धूल की आँधी

275. कौन सी परिघटना मुख्यतया संयुक्त राज्य अमेरिका और उसके पड़ोसी देशों में घटती है ?
(अ) साइक्लोन
(ब) धूल की आँधी
(स) चुंबकीय आँधी
(द) टोरनाडो

276. 'मानसून' शब्द लिया गया है :

(अ) अरबी 'सीजन' से
(ब) यूनानी 'वेदर' से
(स) लैटिन 'क्लाउड' से
(द) उपर्युक्त किसीसे नहीं

277. बंगाल की खाड़ी में कौन सी मौसमी परिघटना अकसर घटती है ?

(अ) टोरनाडो
(ब) साइक्लोन
(स) अल नीनो
(द) उपर्युक्त में से कोई नहीं

278. गरमी की रात के बाद सुबह-सुबह घास और फूलों पर क्या पाया जाता है ?

(अ) कुहरा
(ब) बर्फ
(स) ओस
(द) धूल

279. बादलों के गरजने और बिजली के चमकने के बाद कौन सा खास तत्त्व बड़ी मात्रा में मिट्टी और हवा में पैदा होता है ?

(अ) सोडियम
(ब) नाइट्रोजन
(स) गंधक
(द) ऑक्सीजन

280. निम्नलिखित में से कौन सी परिघटना धरती पर मौसम को प्रभावित कर सकती है ?

(अ) भूकंप
(ब) ज्वालामुखी
(स) उल्कापात
(द) उपर्युक्त में से कोई नहीं

281. जमीन पर रिकॉर्ड किया गया अब तक का सबसे ज्यादा तापमान कितना है ?

(अ) 58^0 से.
(ब) 24^0 से.
(स) 101^0 से.
(द) 10^0 से.

282. सबसे खतरनाक हवा 'फॉन', जो गाँव जला देती है, बर्फ पिघला देती है, किस क्षेत्र में बहती है ?

(अ) सहारा
(ब) साइबेरिया
(स) स्विट्जरलैंड
(द) ईरान

283. जैसे-जैसे धरती की सतह से ऊपर की ओर जाते हैं, तापमान गिरता जाता है। किस हद तक तापमान गिरता है ?

(अ) -10^0 से.
(ब) -23^0 से.
(स) -108^0 से.
(द) -62^0 से.

284. अग्रलिखित में से वायुमंडल की कौन सी सतह, सूर्य और अंतरिक्ष की

तरफ से आनेवाली खतरनाक विकिरणों से पृथ्वी पर जीवन को बचाती है ?

(अ) ओजोन परत (ब) आयनमंडल

(स) मध्यमंडल (द) क्षोभमंडल

285. भारतीय उपमहाद्वीप का मानसून किस क्षेत्र में घटित होनेवाले परिघटना से नियंत्रित होता है ?

(अ) अफ्रीका (ब) हिंद महासागर

(स) अंटार्कटिका (द) उत्तरी ध्रुव

☐

X

सितारों भरा ब्रह्मांड

रात का आकाश

286. अँधेरे में रात को साफ आकाश में नंगी आँखों से कितने तारे देखे जा सकते हैं ?
   (अ) 1500 (ब) 2500
   (स) 100 (द) 250
287. निम्नलिखित सितारों में से कौन सा सितारा आसमान में नहीं चलता है ?
   (अ) चित्रा (स्पाइका) (ब) मघा (रीगल)
   (स) ध्रुवतारा (पोलरिस) (द) कैस्टर
288. अब तक का सबसे चमकीला क्वासर कौन है ?
   (अ) पी.के.एस 2000–330 (ब) 3 सी–273
   (स) ओक्यू–172 (द) 3 सी–345
289. सबसे बड़ा तारामंडल कौन सा है ?
   (अ) हाइड्रा (ब) डोरेडो
   (स) इंडस (द) सीटस
290. सबसे चमकीला तारा कौन सा है ?
   (अ) स्वाति (आर्कट्यूरस) (ब) लुब्धक (सिरियस)
   (स) अगस्त्य (कैनोपस) (द) ज्येष्ठा (एंटेरस)
291. सबसे छोटा तारामंडल कौन सा है ?
   (अ) क्रक्स ऑस्ट्रेलिस (ब) सीफियस
   (स) एपस (द) कोरोना बोरिएलिस
292. अग्रलिखित में से कौन सा तारा सूर्य जैसा है ?

(अ) अभिजित (वेगा) (ब) अल्ताइर

(स) बीटा कैरिनी (द) ताऊ सेटी

293. सबसे चमकीला तारा कौन सा है ?

(अ) मघा (रीगल) (ब) चित्रा (स्पाइका)

(स) नीटा कैरिनी (द) प्रॉसिऑन

294. निम्नलिखित ग्रहों में 'प्रात:कालीन तारा' किसे कहते हैं ?

(अ) मंगल (ब) बृहस्पति

(स) शुक्र (द) उपर्युक्त में से कोई नहीं

295. रात के आकाश में दिखनेवाला सबसे स्पष्ट तारक समूह कौन सा है ?

(अ) हियादीज (ब) कृत्रिका (प्लीड्स)

(स) बीहाइव क्लस्टर (द) कोमा स्टार क्लस्टर

296. सबसे बड़ा और सबसे चमकीला गोल तारा समूह कौन सा है ?

(अ) ओमेगा सेंटारी (ब) मेसियर-53

(स) मेसियर-13 (द) 47-टूकेनी

297. नंगी आँखों से दिखनेवाली सबसे दूर की चीज क्या है ?

(अ) कोलसेक नेबुला (ब) एंड्रोमेडा गैलेक्सी

(स) मेसियर-48 (द) लैगून नेबुला

298. रात में कौन सा ग्रह लालिमा लिये दिखता है ?

(अ) बृहस्पति (ब) शनि

(स) मंगल (द) बुध

299. सबसे चमकीली नीहारिका का क्या नाम है ?

(अ) काल पुरुष (ओराएन) (ब) रिंग

(स) मैग्लन के बड़े बादल (द) एम-42

बड़े ग्रह

300. मंगल की सतह पर सबसे स्पष्ट क्या दिखता है ?

(अ) वेलेस मैरिनेरिस (ब) हेलस प्लैनिटा

(स) ओलिंपस मॉन्स (द) सिर्टिस मेजर

301. आधुनिक काल में खोजा गया पहला ग्रह कौन है ?

(अ) बुध (ब) प्लूटो

(स) शनि (द) वरुण

302. बृहस्पति पर पहुँचनेवाला और उसका अध्ययन करनेवाला पहला अंतरिक्ष यान कौन सा था?

(अ) वोएजर-1
(ब) वाइकिंग-1
(स) पायोनियर-10
(द) गैलीलियो

303. बृहस्पति के वलयों (रिंग सिस्टम) को किसने खोजा?

(अ) जी.डी. कैसिनी
(ब) गैलीलियो गैलिली
(स) एफ.एल. फ्रैंकलिन
(द) वोएजर-1

304. एक बार अंतरिक्ष यात्रियों ने सोचा कि सूर्य के सबसे नजदीक बुध न होकर कोई दूसरा ग्रह है। ऐसा माना गया कि यह बुध के परिक्रमा पथ को प्रभावित कर रहा है। इस ग्रह को क्या नाम दिया गया?

(अ) प्लूटो
(ब) टोलेमी
(स) वल्कन
(द) गोया

305. सबसे चमकीला ग्रह कौन सा है?

(अ) बृहस्पति
(ब) शुक्र
(स) बुध
(द) शनि

306. बुध की सतह पर सबसे साफ क्या दिखती है?

(अ) हीरो रुप्स
(ब) कैलोरिस प्लेनिटा
(स) प्लेनिशिया बोरियलिस
(द) रिजोल्यूशन रुप्स

307. कौन सा ग्रह धूल की आँधी के लिए मशहूर है?

(अ) पृथ्वी
(ब) बुध
(स) शुक्र
(द) मंगल

308. किस ग्रह को रिहाइश के मामले में नरक माना जाता है?

(अ) मंगल
(ब) बुध
(स) शुक्र
(द) उपर्युक्त में से कोई नहीं

309. शुक्र ग्रह के गमन (ट्रांजिट) के रूप में क्या जाना जाता है?

(अ) जब कोई शुक्र को गति में देखता है
(ब) जब शुक्र सूर्य की सतह को पार करता है
(स) जब शुक्र को सूर्यग्रहण के समय देखा जाता है
(द) जब शुक्र दूसरे ग्रह के द्वारा ढक लिया जाता है

छोटे ग्रह

310. कौन सा धूमकेतु सबसे कम समय तक दिखता है?

(अ) एंके धूमकेतु (ब) हेली

(स) लेक्सेल (द) ब्रुक्स

311. अब तक का ज्ञात सबसे बड़ा उल्कापिंड कहाँ गिरा था?

(अ) एरिजोना, संयुक्त राज्य अमेरिका

(ब) लिमरिक, आयरलैंड

(स) जालंधर, भारत

(द) होबा वेस्ट, अफ्रीका

312. चंद्रमा के धरातल पर सबसे बड़े क्रेटर का क्या नाम है?

(अ) बेली (ब) टोलेमियस

(स) कॉपरनिकस (द) टाइको

313. एक अंतरिक्ष यान खासतौर पर किस छोटे ग्रह के अध्ययन के लिए छोड़ा गया था?

(अ) फोबोस (ब) चिरॉन

(स) सेरेस (द) आयो

314. चाँद के धरातल पर सबसे चमकीला क्रेटर कौन सा है?

(अ) ग्रिमाल्डी (ब) प्लेटो

(स) साराभाई (द) एरिस्टेरकस

315. सूर्य से टकरानेवाला पहला धूमकेतु कौन सा था?

(अ) एंके (ब) 1979 एकादश

(स) दोनेटी (द) कोहुटेक

316. पृथ्वी के अलावा कौन सा ऐसा दूसरा ग्रह है जहाँ ज्वालामुखीय गतिविधियाँ होती हैं?

(अ) टाइटन (ब) वेस्टा

(स) आयो (द) चंद्रमा

317. निम्नलिखित लघु तारों (एस्टेरॉएड्स) में से सबसे पहले कौन सा खोजा गया?

(अ) सेरेस (ब) इरॉस

(स) हेबे (द) एडोनिस

318. सबसे चमकीला लघु तारा कौन सा है ?

(अ) पैलस (ब) वेस्टा

(स) जूनो (द) इकेरस

319. मंगल के उपग्रह फोबोस पर सबसे बड़े क्रेटर का क्या नाम है ?

(अ) स्विफ्ट (ब) वाल्टेयर

(स) स्टिकनी (द) वेंडेल

☐

XI

विकास और व्यवहार

विकास

320. वह पक्का सबूत क्या है जिससे पता चलता है कि सभी सजीव चीजों का उद्‌गम स्रोत एक ही है ?
   (अ) एक ग्रह पर पाया जाना
   (ब) समजातता (होमोलॉजी) परिकल्पना
   (स) जीवन के विकास का एक सिद्धांत
   (द) धरती से परे कहीं जीवन नहीं मिला

321. निम्नलिखित में से किस मछली को जीवित जीवाश्म कहते हैं ? समुद्र में कभी यह बहुतायत में मिलती थी।
   (अ) हेरिंग (ब) शार्क
   (स) सीलकेंथ (द) स्नैपर

322. भूगर्भशास्त्रीय इतिहास के निम्नलिखित काल में पक्षी कब विकसित हुआ ?
   (अ) जुरासिक काल (ब) परमियन काल
   (स) सिलुरियन काल (द) चतुर्थ महाकल्प

323. चट्‌टानों में पाए गए सबसे पुराने जीवाश्म कहाँ हैं ?
   (अ) उत्तरी ध्रुव, उत्तर-पश्चिम ऑस्ट्रेलिया
   (ब) एलिस झरना, मध्य ऑस्ट्रेलिया
   (स) इडियाकैरन की पहाड़ियाँ, दक्षिणी ऑस्ट्रेलिया
   (द) मेजन क्रीक, इलिनियस, संयुक्त राज्य अमेरिका

324. निम्नलिखित जीवों में धरती पर सबसे प्रचुर मात्रा में कौन हैं ?
   (अ) पक्षी (ब) बीटल

(स) सर्प (द) मछली

325. भूगर्भशास्त्रीय इतिहास के किस काल में स्तनधारियों का आविर्भाव हुआ ?
(अ) कैंब्रियन काल (ब) टरशियरी काल
(स) ट्रायसिक काल (द) जुरासिक काल

326. निम्नलिखित वृक्षों में से किसे जीवित जीवाश्म कहते हैं ? प्राचीन काल में यह बहुतायत में पाया जाता था।
(अ) मेडेनहेयर (ब) गूलर
(स) मिमोसा (द) ओसियर

327. चार्ल्स डार्विन द्वारा प्रतिपादित जीवन की उत्पत्ति के सिद्धांत के साथ अकसर किसे जोड़ा जाता है ?
(अ) एच.एम.एस. बीगल (ब) जनसंख्या सिद्धांत पर लेख
(स) गालपागोस द्वीप समूह (द) उपर्युक्त सभी

328. भूगर्भशास्त्रीय इतिहास के किस काल के दौरान अधिकांश जीव लुप्त हो गए ?
(अ) क्रेटेसियस (ब) कार्बोनीफेरस
(स) अत्यंत नूतन काल (प्लीस्टोसीन) (द) कैंब्रियन

329. किसने प्रतिपादित किया कि जीवन एक रासायनिक रस से पैदा हुआ है ?
(अ) ए.आई. ओपेरिन (ब) जे.बी.एस. हाल्डेन
(स) उपर्युक्त दोनों ने (द) उपर्युक्त में से कोई नहीं

330. निम्नलिख़ित जीवों में से किसका जीवाश्म सबसे पुराना है ?
(अ) स्यानोबैक्टीरिया (ब) पेलाजिक ग्रेप्टोलाइट्स
(स) स्ट्रोमैटोलाइट्स (द) ट्राइलोबाइट्स

331. जब चार्ल्स डार्विन ने उत्पत्ति के सिद्धांत का प्रतिपादन किया उसी समय और क्रिसने इस सिद्धांत का प्रतिपादन किया ?
(अ) आसा ग्रे (ब) थॉमस माल्थस
(स) टी.एच. हक्सले (द) अल्फ्रेड आर. वैलेस

332. निम्नलिखित में कौन जीवित जीवाश्म नहीं है ?
(अ) पर्ली नॉटिलस (ब) वेलवेट वर्म
(स) राजकेकड़ा (द) ड्रेगन फ्लाई

व्यवहार

333. जंगली जानवरों के व्यवहार के अध्ययन को कहते हैं :

(अ) यूजेनिक्स (ब) चरित्रशास्त्र

(स) व्यवहार मनोविज्ञान (द) सामाजिक जीवविज्ञान

334. कुत्तों पर प्रयोग के जरिए किसने 'कंडीशंड रिफ्लेक्स' की खोज की ?

(अ) आई.पी. पावलोव (ब) वी.एफ. स्किनर

(स) सिग्मंड फ्रायड (द) कार्ल जुंग

335. निम्नलिखित में से कौन सा जीव गरम अवरक्त किरणों के जरिए अपने शिकार को खोज लेता है ?

(अ) चमगादड़ (ब) उल्लू

(स) लोमड़ी (द) रैटल सर्प

336. हाल के दिनों में हेरिंग चिड़िया की संख्या में वृद्धि हुई है। ऐसा किस वजह से हुआ ?

(अ) संरक्षण के प्रयास (ब) कूड़े में भोजन की उपलब्धता

(स) समुद्र में भोजन की बहुतायत (द) आनुवंशिकी

337. साथ-साथ रहने के बावजूद कौन सा जानवर अपने नजदीकी रिश्तेदारों के साथ शायद ही जिस्मानी रिश्ता बनाता है ?

(अ) जंगली कुत्ता (ब) प्रेयरी कुत्ता

(स) जेब्रा (द) हिरण

338. नवजात जानवर या पक्षी पहले उस चीज को उठाता है जिसकी तरफ उसकी माँ देखती है। इसे 'इंप्रिंटिंग' कहते हैं। इस परिघटना को किसने खोजा ?

(अ) चार्ल्स डार्विन (ब) बी.एफ. स्किनर

(स) कोनरेड लॉरेंट्ज (द) अल्फ्रेड रसेल वैलेस

339. जब पाँच सौ से एक हजार मीटर के दायरे में जंगली कुत्ते पहुँच जाते हैं तब थामसन बारहसिंगा भाग निकलता है। हालाँकि चीते से यह तब भागता है जब चीता एक सौ से तीन सौ मीटर के दायरे में होता है, क्योंकि :

(अ) चीता जंगली कुत्तों की तरह क्रूर नहीं है

(ब) चीता पलक झपकते तेज दौड़ा सकता है

(स) चीता जंगली कुत्तों से तेज दौड़ता है

(द) जंगली कुत्तों की तुलना में चीता अकेले हमला करता है

340. कौन सा जानवर अपने साथियों के लिए 'बेबी सिटिंग' करता है ?

(अ) बाहरसिंगा (ब) हिरण

(स) भूरा मीरकैट (द) बबून

341. 'तुम मेरी पीठ थपथपाओ, मैं तुम्हारी थपथपाऊँ'—जंतु जगत् में इसे क्या कहते हैं ?

(अ) परजीविता (ब) सहभोजिता

(स) सहजीविता (द) इनमें से कोई नहीं

342. सूचना का कोई भी अंश, चाहे वह तथ्य हो या अफवाह, उसे 'मेम' कहते हैं। संस्कृति को 'पैसेज ऑफ मेम्स' कहते हैं। किसने 'मेम' शब्द की रचना की और संस्कृति की परिभाषा गढ़ी ?

(अ) रिचर्ड डॉकिंस (ब) चार्ल्स डार्विन

(स) रेने डेकार्ट्स (द) विलियम हैमिल्टन

343. कौन सा जानवर घोंसला बनाता है ?

(अ) जंगली बीस्ट (ब) जंगली सूअर

(स) हाथी (द) उपर्युक्त में से कोई नहीं

344. किसने खोजा कि मधुमक्खी भुन-भुन नृत्य के जरिए परागवाले फूलों की दूरी और दिशा के बारे में सूचना भेजती है ?

(अ) निको टिनबर्गेन (ब) आई.पी. पावलोव

(स) कार्ल आर. वॉन फ्रिश्क (द) स्टीफन जे. गाउल्ड

345. चूहे बार-बार नष्ट होने से बच गए, क्यों ?

(अ) अप्रिय प्रभाव महसूस करते ही चूहे भाग खड़े होते हैं

(ब) सभी चूहों को मार सकनेवाला कोई जहर नहीं है

(स) चूहे चारे की पहचान कर लेते हैं

(द) चूहे एक-दूसरे को जहरीले चारे के बारे में सूचित कर देते हैं

□

XII

जीव-विदेशज : बड़े और छोटे

विदेशी जीव

346. किस जीव में खोए हुए अंग को फिर से विकसित करने की क्षमता है ?
    (अ) केकड़ा (ब) स्टारफिश
    (स) गिलहरी (द) स्क्विड

347. सबसे प्राचीन जीवित स्तनधारी कौन सा है ?
    (अ) सील (ब) बतख की थूथनवाला प्लेटीपस
    (स) वीसेल (द) हेजहॉग

348. सबसे जहरीला जंतु कौन सा है ?
    (अ) कुकरी सर्प (ब) करैत
    (स) बिच्छू (द) गेहुँअन

349. आकार में सबसे बड़ा जीव कौन सा है ?
    (अ) अफ्रीकी हाथी (ब) नीली ह्वेल
    (स) जिराफ (द) हत्यारी ह्वेल

350. सबसे भारी मस्तिष्क किस जीव का है ?
    (अ) अफ्रीकी हाथी (ब) हत्यारी ह्वेल
    (स) समुद्री गाय (द) स्पर्म ह्वेल

351. ऐसा कौन सा जानवर है, जो बहुत खतरे में होता है तो भी मौत को धोखा दे देता है ?
    (अ) हाइना (ब) गोराल
    (स) केकड़ा (द) आइबेक्स

352. किस जीव का तेल स्पर्म ह्वेल से निकाले गए तेल के समान होता है ?

(अ) सूरजमुखी (ब) शार्क
(स) जोजोबा (द) कॉड फिश

353. ऐसा कौन सा पौराणिक जीव है जिसके बारे में विश्वास किया जाता है कि यह लुप्त हो चुका है?
(अ) नरह्वेल (ब) नॉटिलस
(स) एकसिंगी (द) डोडो

354. किस जीव के जीवाश्म के पाए जाने की कम उम्मीद है?
(अ) एम्मोनाइट्स (ब) पौधे
(स) गैस्ट्रोपोड (द) इकाइनोडर्म

355. किस जीव की आवाज बहुत तेज होती है?
(अ) बाघ (ब) बबून
(स) नीली ह्वेल (द) शार्क

356. किस जीव की आँखें सबसे बड़ी होती हैं?
(अ) मेढक (ब) दानव स्क्विड
(स) ह्वेल (द) दानव पांडा

357. कौन जीव एक कुशल इंजीनियर है?
(अ) दर्जी चिड़िया (ब) बया
(स) दीमक (द) मधुमक्खी

358. निम्नलिखित में से सीटी कौन बजाती है?
(अ) ह्वेल (ब) डॉल्फिन
(स) शार्क (द) चमगादड़

359. ऐसा माना जाता है कि मनुष्य ही एकमात्र ऐसा जीव है, जो औजार का इस्तेमाल करता है; मगर एक और जीव को औजार का उपयोग करते देखा गया है। कौन है वह?
(अ) समुद्री ओटर (ब) गोरिल्ला
(स) बया (द) मकड़ी

360. किस प्रजाति का जीव उड़ सकता है?
(अ) बिल्ली (ब) छिपकली
(स) हेजहॉग (द) चूहा

361. किस जीव की औसत उम्र ज्यादा है?
(अ) कछुआ (ब) मनुष्य

(स) पेलिकन
(द) बिल्ली

बड़े जीव

362. जेब्रा कहाँ पाया जाता है ?
(अ) अफ्रीका
(ब) दक्षिण अमेरिका
(स) चीन
(द) न्यूजीलैंड

363. निम्नलिखित में से कौन सा जीव लुप्त होने के कगार पर है ?
(अ) बैजर
(ब) कंगारू
(स) गिब्बन
(द) ग्रेट इंडियन गैंडा

364. स्तनधारियों में सबसे लंबे समय तक कौन गर्भ धारण करता है ?
(अ) दानव पांडा
(ब) प्रोंगहॉर्न
(स) प्रेयरी कुत्ता
(द) एशियाटिक हाथी

365. भेड़िया किस जानवर के साथ संकरण (क्रॉस ब्रीडिंग) कर सकता है ?
(अ) घरेलू कुत्ता
(ब) ढोल
(स) प्रेयरी कुत्ता
(द) लोमड़ी

366. ओरंगउटान कहाँ पाया जाता है ?
(अ) इटली
(ब) दक्षिणी अमेरिका
(स) उत्तरी अफ्रीका
(द) बोर्नियो

367. निम्नलिखित में से कौन सा जीव लुप्त होने के कगार पर है ?
(अ) प्रेजेवाल्स्की घोड़ा
(ब) आरद्वार्क
(स) अजगर
(द) समुद्री ऑटर

368. सबसे धीरे चलनेवाला स्तनधारी कौन सा है ?
(अ) ध्रुवीय भालू
(ब) हिप्पोपोटैमस
(स) हाथी सील
(द) तीन अँगूठोंवाला स्लॉथ

369. गोवंश का कौन सा जीव रेगिस्तानी और शीत क्षेत्र, दोनों ही इलाकों में रह सकने में सक्षम है ?
(अ) बाइसन
(ब) गौर
(स) याक
(द) गायल

370. चिंपांजी कहाँ पाए जाते हैं ?
(अ) अफ्रीका
(ब) दक्षिण अमेरिका
(स) भारत
(द) अफगानिस्तान

371. निम्नलिखित में से कौन सा जीव लुप्त होने के कगार पर है ?
(अ) तमंदुआ (ब) मकड़ी बंदर
(स) पर्वतीय गोरिल्ला (द) हिप्पोपोटैमस

372. जंगल में दो गोरिल्लों में पहचान करना मुश्किल है। किस निशान से दो गोरिल्लों में पहचान की जाती है ?
(अ) बाल (ब) पंजा
(स) नाक का प्रिंट (द) भौंह

373. दुनिया की सबसे बड़ी और दुर्लभ छिपकली :
(अ) गिरगिट (ब) कोमोडो ड्रेगन
(स) रीगल हॉर्न्ड छिपकली (द) बगीचेवाली छिपकली

374. चींटी खानेवाला विशाल जीव किस क्षेत्र में पाया जाता है ?
(अ) उत्तरी अमेरिका (ब) दक्षिण अफ्रीका
(स) दक्षिणी अमेरिका (द) जापान

375. निम्नलिखित जीवों में से कौन लुप्त होने के कगार पर है ?
(अ) दानव पांडा (ब) जाएंट एंटीएटर
(स) प्रोंगहॉर्न (द) कैरिबू

376. जिराफ कहाँ पाया जाता है ?
(अ) उत्तरी अमेरिका (ब) अफ्रीका
(स) कनाडा (द) ग्रीनलैंड

छोटे जीव

377. किस जीव के दाँत इतने मजबूत हैं कि पेड़ गिरा सकते हैं ?
(अ) गिलहरी (ब) बया
(स) चिपमंक (द) छछुँदरी

378. आर्दवार्क कहाँ पाया जाता है ?
(अ) अफ्रीका (ब) ऑस्ट्रेलिया
(स) डेनमार्क (द) आयरलैंड

379. कुतरकर खानेवाला यह जीव अत्यधिक गरमी में भी रेगिस्तान में पाया जाता है :
(अ) जेर्बोआ (ब) केपीबारा
(स) हैम्स्टर (द) मरी वोल

380. किस जीव की मादा अपने बच्चे को दूसरे जानवर के हमले से बचाने के लिए घेरकर रखती है ?

(अ) कछुआ (ब) आर्माडिल्लो

(स) पैंगोलिन (द) हेजहॉग

381. 'स्कंक' कहाँ पाया जाता है ?

(अ) उत्तरी अमेरिका (ब) दक्षिणी अमेरिका

(स) अफ्रीका (द) यूरोप

382. सबसे आसानी और तेजी से बढ़नेवाला स्तनधारी कौन सा है ?

(अ) हेजहॉग (ब) चीता

(स) घोड़ा (द) चूहा

383. सबसे तेजी से सुरंग खोदनेवाला जीव :

(अ) छछुँदर (ब) आर्दवार्क

(स) कंगारू चूहा (द) प्रेयरी कुत्ता

384. 'बैजर' कहाँ पाए जाते हैं ?

(अ) ऑस्ट्रेलिया (ब) दक्षिण अफ्रीका

(स) यूरोप (द) ताइवान

385. दुनिया का सबसे बड़ा कुतरकर खानेवाला (रॉडेंट) जीव कौन सा है ?

(अ) कंगारू चूहा (ब) केपीबारा

(स) खरगोश (द) गिलहरी

386. कोएला भालू कहाँ पाए जाते हैं ?

(अ) उत्तरी अमेरिका (ब) ऑस्ट्रेलिया

(स) अफ्रीका (द) दक्षिणी अमेरिका

□

XIII

पक्षी और वृक्ष

पक्षी

387. निम्नलिखित में से कौन सी चिड़िया पहले बहुतायत में थी, पर अब लुप्तप्राय प्रजाति है ?

(अ) नहीं उड़ सकनेवाली कोरमोरेंट (ब) भूरी हेरॉन

(स) यात्री कबूतर (द) काकापो

388. 'रिया' कहाँ पाई जाती है ?

(अ) उत्तरी अमेरिका (ब) चीन

(स) आयरलैंड (द) दक्षिणी अमेरिका

389. कौन सी चिड़िया सूँघकर अपना शिकार खोजती है ?

(अ) कठफोड़वा (ब) कीवी

(स) कौआ (द) स्टोनचैट

390. कौन सी चिड़िया बोली की नकल करती है और दूसरी चिड़िया की आवाज में गाती भी है ?

(अ) कोयल (ब) कठफोड़वा

(स) चील (द) ड्रोंगो

391. सबसे तेज तैरनेवाला पक्षी कौन सा है ?

(अ) जेंटू पेंग्विन (ब) एड्ली पेंग्विन

(स) शेलडक (द) पफिन

392. 'टूकान' कहाँ पाया जाता है ?

(अ) चीन (ब) ऑस्ट्रेलिया

(स) दक्षिण अमेरिका (द) ब्रिटेन

393. कौन सी चिड़िया लुप्त होने के कगार पर है ?
(अ) बंदर का शिकार करनेवाली चील (ब) किंग पेंग्विन
(स) डबचिक (द) हमिंग बर्ड

394. किस पक्षी के पास डैनों के स्थान पर हिलनेवाले अंग (फ्लिपर्स) होते हैं ?
(अ) उल्लू (ब) पेंग्विन
(स) हंस (द) अल्बेट्रॉस

395. कौन सा पक्षी पानी में से भोजन छानने के लिए अपनी चोंच का इस्तेमाल करता है ?
(अ) भूरा हेरॉन (ब) आइबिस
(स) फ्लेमिंगो (द) सारस क्रेन

396. सबसे तेज उड़नेवाली चिड़िया कौन सी है ?
(अ) अल्बेट्रास (ब) सी-गल
(स) तार जैसे पंखोंवाली स्विफ्ट (द) काँटे जैसे पंखोंवाली स्विफ्ट

397. कौन सा पक्षी उड़ते समय अपना मुँह खुला रखता है, ताकि उड़ते हुए कीड़े को अपना शिकार बना सके ?
(अ) गिद्ध (ब) नाइटजार
(स) उल्लू (द) कौआ

398. कुछ पक्षी अपना शिकार स्वयं नहीं पकड़ते, बल्कि दूसरे पक्षियों का शिकार चुरा लेते हैं। किस पक्षी को ऐसी आदत है ?
(अ) स्कूआ (ब) गौरैया
(स) रिवर टर्न (द) बुलबुल

399. सबसे लंबी दूरी का आव्रजन करने का रिकॉर्ड किस पक्षी का है ?
(अ) आर्कटिक टर्न (ब) रिवर टर्न
(स) शीयर वाटर (द) डंडे जैसे सिरवाला हंस

400. कौन सा पक्षी बिना पंख हिलाए दूर तक उड़ सकता है ?
(अ) एंडीअन कंडर (ब) परदेसी बाज
(स) कूट (द) चील

401. उड़नेवाला सबसे भारी पक्षी कौन सा है ?
(अ) शुतुरमुर्ग (ब) कोरी बस्टर्ड
(स) गिद्ध (द) कंडर

402. कौन सी प्रजाति विलुप्ति के कगार पर है ?

(अ) डोडो (ब) स्वर्ग का पक्षी

(स) कैलिफोर्निया कंडर (द) बस्टर्ड

403. कौन सा पक्षी लकड़ी में लगनेवाले कीड़े को रोकता है ?

(अ) भारतीय भूरा श्राइक (ब) कठफोड़वा

(स) दर्जी चिड़िया (द) हूपू

404. सबसे बड़ा अंडा देनेवाला पक्षी कौन सा है ?

(अ) टॉनी उल्लू (ब) मूरहेन

(स) शुतुरमुर्ग (द) बतख

405. किस पक्षी से जापान का बोध होता है, जो आजकल विलुप्ति के कगार पर है ?

(अ) कलगीदार आइबिस (ब) कलगीदार स्काईलार्क

(स) तालाब का हेरॉन (द) काला आइबिस

406. किस पक्षी के लुप्त होने का खतरा है ?

(अ) काले पंखवाला स्टिल्ट (ब) चितकबरा किंगफिशर

(स) ग्रेट इंडियन बस्टर्ड (द) फेयरी ब्लूबर्ड

वृक्ष

407. सबसे बड़े पौधे का बीज कौन सा है ?

(अ) अखरोट (ब) कोको

(स) नारियल (द) कोको-डी-मर

408. कौन सा वृक्ष विदेशियों द्वारा भारत में लाया गया ?

(अ) पीलू (ब) दानव वृक्ष

(स) मूँगा माधवी (द) काजू

409. शंकुदार वृक्ष ज्यादातर हिमालय के इलाकों में पाया जाता है। दक्षिण भारत में पाए जानेवाले एकमात्र शंकुदार वृक्ष का क्या नाम है ?

(अ) देवदार (ब) साइप्रस

(स) जूनीपर (द) पोडोकार्प

410. निम्नलिखित में कौन सा पौधा मांसभोजी है ?

(अ) मिमोसा (ब) बटरवर्ट

(स) हिबिस्कस (द) पोस्ता

411. सबसे भारी पौधा कौन सा है ?

(अ) जाएंट सेक्विया (ब) पिचर प्लांट

(स) बरगद (द) पीपल

412. आज भारत निम्नलिखित में से किस एक वृक्ष का मुख्य स्रोत है ?

(अ) चंदन (ब) सखुआ

(स) भारतीय बादाम (द) शाही खजूर

413. किस वृक्ष की कड़ी गाँठें सिगार बनाने में इस्तेमाल होती हैं ?

(अ) रोजवुड (ब) पवित्र बर्ना

(स) जावा अंजीर (द) टीक

414. सुंदर फूल खिलानेवाले वृक्षों में दुनिया का सबसे सुंदर वृक्ष :

(अ) जंगल की आग (ब) गुलमोहर

(स) फ्लेम एमहर्शिआ (द) पारसी लिलियक

415. निम्नलिखित में से कौन सा वृक्ष अधिक तापमान में भी रह सकता है और विभिन्न अक्षांशों में पाया जाता है ?

(अ) भारतीय स्क्रू (ब) भारतीय पोपलर

(स) करंज (द) कटहल

416. यह एक विषैला वृक्ष है, जिसे खाने पर मौत हो जाती है। चूहे मारने का जहर इसीसे बनता है :

(अ) जंगली बादाम (ब) जाएंट मिल्कवीड

(स) ओलिएंडर (द) क्वींस फ्लॉवर

417. निम्नलिखित में से बौद्धों का पवित्र वृक्ष कौन सा है ?

(अ) पीपल (ब) अशोक

(स) पैगोडा ट्री (द) करंज

418. दुनिया का सबसे बड़ा फूल कौन सा है ?

(अ) रैफ्लेशिया (ब) कमल

(स) गुलदाउदी (द) सूरजमुखी

419. क्रिकेट के बल्ले किस पेड़ की लकड़ी से बनते हैं ?

(अ) टीक (ब) रोजवुड

(स) सखुआ (द) विलो

420. सबसे तेजी से बढ़ने के लिए मशहूर पौधा कौन सा है ?

(अ) खजूर ताड़ (ब) कैक्टस

(स) बाँस (द) सनड्यू

421. किस फूल के बारे में अभी हाल ही में पता चला है कि इसमें पाए जानेवाले रसायन कैंसर से लड़ सकते हैं ?

(अ) डैंडेलियन (ब) मार्श मेरीगोल्ड

(स) फॉक्स ग्लोब (द) रोजी पेरिविंकल

☐

XIV
मछली और कीट

मछली

422. डुबकी के दौरान एक स्पर्म ह्वेल कितनी देर तक साँस रोक सकता है ?
(अ) पाँच घंटे (ब) दो घंटे
(स) पैंतीस मिनट (द) पंद्रह मिनट

423. कछुआ पकड़ने के लिए इस्तेमाल की जानेवाली मछली कौन सी है ?
(अ) सकर फिश (ब) जाएंट गुरामी
(स) एंग्लर फिश (द) बाराकुदा

424. भारतीय गंगा के मैदान की नदियों में पाई जानेवाली मछली है :
(अ) भारतीय टारपोन (ब) भारतीय ट्राउट
(स) पॉम्फ्रेट (द) मिनो

425. भारत में मलेरिया को खत्म करने के लिए जैविक नियंत्रण के रूप में किस मछली का प्रयोग किया गया ?
(अ) गैंबुसिया (ब) मिल्क फिश
(स) मैकेरेल (द) महशीर

426. भारतीय बाजार में सबसे महँगी और सबसे ज्यादा खाई जानेवाली मछली है :
(अ) कतला (ब) रोहू
(स) मिल्क फिश (द) पॉम्फ्रेट

427. कौन मछली अपने शिकार के लिए चारा टाँगकर रखती है ?
(अ) बाराकुदा (ब) एंग्लर
(स) रोहू (द) हिल्सा

428. दुनिया का सबसे बड़ा अकशेरुकी प्राणी कौन सा है ?

(अ) जाएंट स्क्विड (ब) ऑक्टोपस

(स) जाएंट क्लैम (द) स्टारफिश

429. हवा में साँस लेनेवाली मछली कौन सी है ?

(अ) मडस्किपर (ब) कैटफिश

(स) ईल (द) सालमन

430. समुद्र में मीलों तक एक साथ चलनेवाली मछली कौन सी है ?

(अ) बौनी गुरामी (ब) कार्प

(स) जेलीफिश (द) कैटफिश

431. कौन सी मछली तैराकों के लिए खतरनाक है ?

(अ) कतला (ब) जाएंट गुरामी

(स) पुर्तगाली मैन ऑफ वार (द) ब्लाइंड फिश

432. सबसे बड़ी मछली कौन सी है ?

(अ) बालीन ह्वेल (ब) शार्क

(स) स्वोर्डफिश (द) ह्वेल शार्क

433. सबसे तेज तैरनेवाली मछली है :

(अ) सेल फिश (ब) सालमन

(स) ऑक्टोपस (द) सील

434. तालाब में पाली जानेवाली मछली, जो बेहतर आहार मानी जाती है :

(अ) कार्प (ब) मिनो

(स) महशीर (द) मिल्कफिश

कीट

435. मधुमक्खियाँ अपना छत्ता व्यवस्थित रूप से बनाती हैं। छत्ते का हर खाना एक ही आकार का होता है। मधुमक्खी निम्नलिखित में से किस तरह का खाना चुनती है ?

(अ) गोल (ब) वर्गाकार

(स) त्रिभुजाकार (द) षट्भुज

436. निम्नलिखित कीटों में से कौन अपना भोजन स्वयं पैदा करता है ?

(अ) मधुमक्खी (ब) भौंरा

(स) पत्तियाँ काटनेवाली चींटी (द) गोबरवाला भृंग

437. पानी के पास कौन सा कीट झुंड में नाचता है ?
(अ) कैडिस मक्खी (ब) मे मक्खी
(स) पानीवाली मकड़ी (द) चींटी

438. 'किताब का बिच्छू' किसे कहते हैं ?
(अ) सिल्वरफिश (ब) नकली मकड़ी
(स) कैटरपिलर (द) बिच्छू मकड़ी

439. तालाब या झरनों के पास किस कीट को अकसर देखा जाता है ?
(अ) तिलचट्टा (ब) तितली
(स) ततैया (द) कैडिस मक्खी

440. तितलियों के लिए कौन सा इलाका बेहतर है ?
(अ) रेगिस्तान (ब) टुंड्रा
(स) विषुवतीय वन (द) सवाना वन

441. किस समूह की तितलियाँ सबसे बड़ी और सबसे सुंदर होती हैं ?
(अ) स्किपर (ब) ब्राउन
(स) स्वैलोटेल (द) ह्वाइट

442. ज्यादातर रात में उड़नेवाला कीट कौन सा है ?
(अ) तितली (ब) मॉथ
(स) मधुमक्खी (द) लेसविंग

443. किस कीट की सबसे अधिक प्रजातियाँ हैं ?
(अ) भृंग (ब) एंटलायन
(स) थ्रिप (द) मच्छर

444. मधुमक्खियाँ मकरंद के स्रोत के बारे में बताने के लिए एक खास आकार में नाचती हैं। वह आकार किस तरह का है ?
(अ) 6 अंक की आकृति जैसी (ब) पंचभुज जैसी
(स) 8 अंक की आकृति जैसी (द) षट्भुज

445. धरती पर किस कीट की आबादी सबसे ज्यादा है ?
(अ) पिस्सू (ब) ततैया
(स) खटमल (द) मक्खी

446. किस कीट को किताबों से प्रेम है ?
(अ) सिल्वरफिश (ब) खटमल
(स) कैडिस मक्खी (द) भृंग

447. कौन सा कीट इनसान के लिए सेहत और पैसा दोनों ही दृष्टि से नुकसानदेह है?

(अ) पिस्सू (ब) जूँ

(स) मच्छर (द) तिलचट्टा

448. सबसे बड़ी तितली कौन सी है?

(अ) लाल एडमिरल तितली (ब) मोनार्क तितली

(स) रानी एलेक्जेंड्रा बर्डविंग (द) पैसन वाइन तितली

☐

XV

भारतीय वन्य जीवन, पक्षी और भू-दृश्य

वन्य जीवन

449. निम्नलिखित में से किस भारतीय अभयारण्य में 'प्रोजेक्ट टाइगर' पर काम चल रहा है?

(अ) जलदापाड़ा (ब) केवलादेव

(स) मेलाघाट (द) डाचीग्राम

450. डाचीग्राम अभयारण्य किसकी अंतिम शरणस्थली है?

(अ) चीता (ब) हंगुल

(स) जिराफ (द) सिंह

451. निम्नलिखित में से कौन सा खतरनाक जानवर बच्चा उठाने के लिए कुख्यात है?

(अ) चीता (ब) लिंक्स

(स) शेर की पूँछवाला मैकॉक (द) लकड़बग्घा

452. गैंडा कहाँ पाया जाता है?

(अ) पश्चिम बंगाल (ब) केरल

(स) बिहार (द) मध्य प्रदेश

453. कौन सा जानवर झुंड में अपने शिकार पर हमला करता है?

(अ) लाल लोमड़ी (ब) ढोल

(स) हनुमान लंगूर (द) पाइका

454. संगमरमरी बिल्ली कहाँ के जंगलों में मिलती है?

(अ) हिमाचल प्रदेश (ब) मध्य प्रदेश

(स) असम (द) कर्नाटक

455. भारत में पाए जानेवाले निम्नलिखित जानवरों में से कौन सा जानवर लुप्तप्राय है ?

(अ) एशियाई जंगली गधा
(ब) लंगूर
(स) लकड़बग्घा
(द) बाघ

456. हमारे देश में सबसे आम नर वानर (प्राइमेट) कौन सा है ?

(अ) हनुमान लंगूर
(ब) नील-लोहित रंग के मुँहवाला लंगूर
(स) नीलगिरि लंगूर
(द) स्वर्णिम लंगूर

457. भारत में पाया जानेवाला कौन सा जानवर लगभग लुप्त हो चुका है ?

(अ) काला हिरण
(ब) गौर
(स) चीता
(द) चेवरोटेन

458. लाल पंडा कहाँ के जंगल में पाया जाता है ?

(अ) नीलगिरि
(ब) हिमालय
(स) सुंदरवन
(द) विंध्य

459. भारत में पाई जानेवाली जंगली बकरियों में किसका ठिकाना बर्फीले इलाकों के पास ऊँचाईवाले क्षेत्र में है ?

(अ) टार
(ब) आइबेक्स
(स) गोराल
(द) सेरो

460. हिम तेंदुआ कहाँ पाया जाता है ?

(अ) पश्चिमी घाट
(ब) माउंट आबू
(स) हिमालय
(द) दक्खन के पठार

461. किस राष्ट्रीय उद्यान की स्थापना सन् 1935 में हुई थी ?

(अ) कॉर्बेट राष्ट्रीय उद्यान
(ब) केवलादेव राष्ट्रीय उद्यान
(स) काजीरंगा राष्ट्रीय उद्यान
(द) दुधवा राष्ट्रीय उद्यान

462. भारत में 'मगरमच्छ बैंक' कहाँ है ?

(अ) श्रीनगर
(ब) सुंदरवन
(स) मद्रास
(द) बालासोर

463. भारत में पाए जानेवाले किस हिरण के सींग शाखादार नहीं होते हैं, इसके दाँत बड़े और काटनेवाले होते हैं ?

(अ) कस्तूरी मृग
(ब) भौंकनेवाला हिरण
(स) स्वैंप हिरण
(द) हॉग डियर

464. प्वाइंट कैलिमियर अभयारण्य कहाँ है ?

(अ) किहिम की खाड़ी (ब) कोरोमंडल समुद्र तट
(स) कच्छ की खाड़ी (द) हिमालय की तलहटी

465. गुजरात का गिर वन किसका घर है ?
(अ) बाघ (ब) चीता
(स) भारतीय शेर (द) भारतीय तेंदुआ

पक्षी

466. निम्नलिखित सारसों (स्टार्क) में से कौन गंदगी साफ करनेवाला है ?
(अ) चित्रित सारस (ब) खुली चोंचवाला सारस
(स) श्वेत सारस (द) सहायक सारस

467. कौन सा पक्षी अपने पंखों को ठीक रखने के लिए बराबर धूल स्नान करता है ?
(अ) गौरैया (ब) छोटा बाज (केस्ट्रेल)
(स) काली आइबिस (द) डार्टर

468. निम्नलिखित चिड़ियों में से किसकी आवाज बाँसुरी की मीठी आवाज जैसी है ?
(अ) कॉपरस्मिथ (ब) ऑरियॉल
(स) डबचिक (द) भारतीय पिपिट

469. निम्नलिखित में से कौन सी चिड़िया रात्रिचर है ?
(अ) नाइटजार (ब) सारस क्रेन
(स) ब्राह्मणी मैना (द) घरेलू स्विफ्ट

470. किस पक्षी के मकड़ी जैसे अँगूठे और पीछे के पंजे लंबे होते हैं ?
(अ) लाल गुदावाली बुलबुल (ब) जलमुरगी
(स) श्वेत वैगटेल (द) तीतर जैसी पूँछवाली जाकाना

471. किस पक्षी की आवाज सुरीली सीटी की तरह है ?
(अ) स्टोन कर्ल्यू (ब) साधारण स्टारलिंग (स) आयोरा
(द) मधुमक्खी खानेवाली हरे रंग की छोटी चिड़िया

472. कौन सा जल पक्षी नमकीन झील में रहना पसंद करता है ?
(अ) मूरहेन (ब) कूट
(स) सारस क्रेन (द) फ्लेमिंगो

473. अग्रलिखित बतखों में कौन सी लुप्त हो चुकी है ?

(अ) गुलाबी सिरवाली बतख (ब) सीटी बजानेवाली बतख
(स) कॉटन टील (द) नकटा

474. कौन सा पक्षी अकसर सात के समूह में देखा जाता है ?
(अ) भारतीय टिट (ब) बैबलर
(स) श्राइक (द) कौआ

475. निम्नलिखित दुर्लभ पक्षियों में से कौन सा बड़े लंबे समय के बाद सन् 1986 में देखा गया था ?
(अ) जेर्डान कोर्सर (ब) सफेद पंखवाली वुड डक
(स) ब्लेविट उल्लू (द) पहाड़ी बटेर

476. किस चिड़िया की आवाज 'डिड यू डू इट' के बोल जैसी है ?
(अ) छोटे वलयोंवाली प्लोवर (ब) हरी बारबेट
(स) लाल गलमुच्छदार बुलबुल (द) लाल टहनियों से गुँथी जैसी लैपविंग

भू-दृश्य

477. भारत की निम्नलिखित झीलों में से कौन सी एक कभी समुद्र का हिस्सा थी ?
(अ) डल झील (ब) चिल्का झील
(स) सुल्तानपुर झील (द) विहार झील

478. भारतीय महाद्वीप के किस क्षेत्र में तेल और प्राकृतिक गैस का भंडार है ?
(अ) कोचीन (ब) कलकत्ता
(स) पुरी (द) मुंबई

479. भारत के किस राज्य में सबसे ज्यादा संख्या में दो नदियों के बीच दोआब है ?
(अ) पंजाब (ब) कर्नाटक
(स) बंगाल (द) असम

480. भारत की निम्नलिखित भौगोलिक बनावट में से एक ज्वालामुखी विस्फोट का परिणाम है, बताइए ?
(अ) दक्खन का पठार (ब) हिमालय
(स) विंध्य पर्वत (द) सतपुड़ा की पहाड़ियाँ

481. भारत का सबसे पुराना पहाड़ कौन सा है ?

(अ) विंध्य (ब) हिमालय

(स) अरावली (द) सह्याद्रि

482. निम्नलिखित में से कौन सा पर्वत भारत में मुड़े हुए पर्वत का उदाहरण है ?

(अ) नीलगिरि (ब) सह्याद्रि

(स) हिमालय (द) उपर्युक्त में से कोई नहीं

483. कौन सा भारतीय राज्य लगभग नदी बाढ़ की मिट्टी से बना एक मैदान है ?

(अ) बिहार (ब) हिमाचल प्रदेश

(स) मणिपुर (द) पंजाब

484. भारत के एक शहर के निकट खारे जल (ब्रैकिश वाटर) की कौन सी बड़ी झील है ?

(अ) पुलिकट झील (ब) चिल्का झील

(स) सांबर (द) सिलसिट

485. भारत के किस क्षेत्र में कुदरती गुफाएँ पाई जाती हैं ?

(अ) पंजाब (ब) उत्तर प्रदेश

(स) बंगाल (द) हरियाणा

486. भारत में 'भाबर' क्षेत्र कहाँ है ?

(अ) शिवालिक पहाड़ियों के पास (ब) दक्खन पठार

(स) पश्चिमी घाट के पास (द) आंध्र प्रदेश

487. पूरी तरह भारतीय प्रदेश के अंदर सबसे ऊँचा पर्वत कौन सा है ?

(अ) माउंट एवरेस्ट (ब) नंदा देवी

(स) कंचनजंगा (द) कराकोरम

488. निम्नलिखित भारतीय झीलों में से कौन सी पक्के तौर पर एक क्रेटर है ?

(अ) डल झील (ब) भीम ताल

(स) सांबर झील (द) लोनार झील

□

XVI
मानव संबंधी

शरीर

489. किस प्रकार के दाँत भोजन को पीसने के लिए इस्तेमाल किए जाते हैं ?
(अ) चर्वणक (मोलर) (ब) कृंतक (इंसाइजर)
(स) रद्नक (केनाइन) (द) दूध के दाँत

490. निम्नलिखित मानव अस्थियों में कौन सी बाँह की अस्थि है ?
(अ) स्टर्नम (ब) रेडियस
(स) पेटेला (द) फीमर

491. निम्नलिखित में से क्या चीज पेट में मौजूद रहती है ?
(अ) शुक्राणु (ब) रूसी
(स) जठर रस (द) ऑप्टिक नर्व

492. जठर रस में क्या होता है ?
(अ) शर्करा (ब) बाइकार्बोनेट
(स) हाइड्रोक्लोरिक अम्ल और पेप्सिन (द) लिपिड और सुक्रोस

493. निम्नलिखित मानव मांसपेशियों में जाँघ की मांसपेशी कौन सी है ?
(अ) वास्टस एक्सटर्नस (ब) बाइसेप्स
(स) डेल्टॉइड (द) ट्रेपेजियस

494. एक औसत इनसान के मस्तिष्क का आयतन कितना होता है ?
(अ) 750 घन सेंटीमीटर (ब) 1500 घन सेंटीमीटर
(स) 4000 घन सेंटीमीटर (द) 100 घन सेंटीमीटर

495. मानव शरीर में मौजूद ग्रंथियों में से कौन सी मस्तिष्क के ठीक बाद होती है ?

(अ) एड्रिनल (ब) थाइरॉयड
(स) पेंक्रियास (द) पीनियल

496. निम्नलिखित इनसानी हड्डियों में से कौन सी हड्डी गरदन की है ?
(अ) खोपड़ी (ब) सैक्रम
(स) टिबिया (द) एटलस

497. इनसान का सामान्य रक्तचाप होता है :
(अ) 120/80 मि.मी. (ब) 110/70 मि.मी.
(स) 140/80 मि.मी. (द) 110/75 मि.मी.

498. मानव शरीर में वसायुक्त रवादार कोलेस्ट्रॉल कहाँ बनता है ?
(अ) पीयूष ग्रंथि (ब) हृदय
(स) यकृत (द) मस्तिष्क

499. निम्नलिखित में से सिर की हड्डी कौन सी है ?
(अ) खोपड़ी (ब) पेल्विस
(स) कॉक्सिक्स (द) स्कैपुला

500. मानव शरीर के किस अंग को खतरनाक विकिरणों से कम खतरा रहता है ?
(अ) आँखें (ब) हृदय
(स) मस्तिष्क (द) फेफड़ा

भोजन और पोषण

501. निम्नलिखित चीजों में से कौन शरीर के लिए ईंधन का काम करती है ?
(अ) खनिज लवण (ब) विटामिन
(स) कार्बोहाइड्रेट (द) जल

502. बेरी-बेरी किसकी कमी से होता है ?
(अ) विटामिन बी (ब) प्रोटीन
(स) विटामिन सी (द) वसा

503. एक इनसान की जरूरत की ऊर्जा को मापने की इकाई क्या है ?
(अ) जूल (ब) अर्ग
(स) किलोवाट (द) कैलोरी

504. कोलेस्ट्रॉल के ज्यादा बढ़ने से कौन सी बीमारी होती है ?
(अ) जन्मगत (ब) श्वसन संबंधी

(स) हृदय एवं वक्ष संबंधी (द) कैंसर संबंधी

505. काफी देर पहले बने भोजन में क्या नष्ट हो जाता है?

(अ) जरूरी वसा अम्ल (ब) फॉलिक अम्ल

(स) कार्बोहाइड्रेट (द) प्रोटीन

506. मानव शरीर में सबसे ज्यादा मात्रा में क्या मौजूद है?

(अ) प्रोटीन (ब) वसा

(स) कार्बोहाइड्रेट (द) खनिज लवण

507. भोजन में किस चीज की कमी से आँत संबंधी गड़बड़ी पैदा होती है?

(अ) वसा (ब) रेशेदार पदार्थ

(स) प्रोटीन (द) विटामिन

508. जब व्यक्ति भूखा रहता है तो मांसपेशियाँ मस्तिष्क के संचालन के लिए शरीर में किस चीज के स्तर को नियंत्रित करने के लिए नष्ट होती हैं?

(अ) ग्लूकोज (ब) फॉलिक अम्ल

(स) कोलेस्ट्रॉल (द) विटामिन सी

509. निम्नलिखित में से कौन मसूड़ों में खून आने से रोकता है?

(अ) निकोटिनामाइड (ब) थाइमिन

(स) एस्कोर्बिक अम्ल (द) विटामिन डी

510. भोजन बनाने का सबसे आसान रूप कौन सा है?

(अ) भाप से पकाना (ब) मुलायम बनाना

(स) सेंकना (द) भूनना

511. भोजन को सुरक्षित रखने की सबसे अच्छी तकनीक कौन सी है?

(अ) डिब्बाबंद करना (कैनिंग) (ब) एपर्टाइजेशन

(स) विकिरणन (द) परिरक्षक

512. कौन सा विटामिन रतौंधी रोग को रोकता है?

(अ) विटामिन डी (ब) विटामिन ए

(स) राइबोफ्लेविन (द) फॉलिक अम्ल

513. निम्नलिखित में से किस देश को कुपोषण से मुक्ति मिल पाई है?

(अ) भारत (ब) चीन

(स) बँगलादेश (द) इंडोनेशिया

514. प्रोटीनवाले भोजन के जायके को कौन बढ़ाता है?

(अ) खानेवाला सोडा (ब) कपड़ा धोनेवाला सोडा

(स) मोनोसोडियम ग्लूटामेट (द) यीस्ट

515. भोजन में इस्तेमाल होनेवाले ज्यादातर प्राकृतिक रंग किससे बनते हैं ?
(अ) फल (ब) कोलतार
(स) लाइकेन (द) फूल

516. कॉफी के सबसे ज्यादा उपभोक्ता किस देश में हैं ?
(अ) संयुक्त राज्य अमेरिका (ब) जापान
(स) ऑस्ट्रेलिया (द) जर्मनी

बीमारियाँ

517. आजकल ज्यादातर लोग किस बीमारी से मरते हैं ?
(अ) कैंसर (ब) दुर्घटना
(स) साँस की बीमारी (द) हृदय एवं वक्ष संबंधी रोग

518. लाखों की संख्या में लोगों को मौत की नींद सुलानेवाली किस बीमारी को खत्म कर दिया गया है ?
(अ) क्षय रोग (ब) चेचक
(स) सिफलिस (द) काला जार

519. कौन सी बीमारी मर्दों की अपेक्षा औरतों में ज्यादा होती है ?
(अ) गठिया (ब) जठर शोथ (गैस्ट्राइटिस)
(स) कोरोनरी थ्रॉम्बोसिस (द) रियूमैटाइड अर्थ्राइटिस

520. कौन सी बीमारी श्वसन संबंधी है ?
(अ) कोलाइटिस (ब) अल्सर
(स) रक्तस्राव (द) एंफीसीमा

521. छूत से फैलनेवाली कौन सी बीमारी सिर्फ बचपन या किशोरावस्था में होती है ?
(अ) गलसुआ (ब) चेचक
(स) मीजल्स (द) लोहित बुखार (स्कारलेट फीवर)

522. कौन सी बीमारी सेक्स संपर्क से होती है ?
(अ) सूजाक (ब) एबसेस
(स) डिप्थीरिया (द) रेबीज

523. कौन सी बीमारी आँख से संबंधित है ?
(अ) सबलबाय (ग्लूकोमा) (ब) सिफलिस

(स) हीमोफीलिया (द) प्लूरिसी

524. कौन सी बीमारी व्यक्ति के मेरुदंड (स्पाइनल कॉलम) से संबंधित है ?
(अ) हाइपोथर्मिया (ब) कैटरेक्ट
(स) सर्विकल स्पांडिलाइटिस (द) हर्निया

525. किस बीमारी में रक्त की नलिकाओं में रक्त के थक्के जमने से अवरोध पैदा होता है ?
(अ) हृदय की गति रुकना (ब) थ्रॉम्बोसिस
(स) आर्ट्रियो स्केलेरोसिस (द) एंबॉलिज्म

526. कौन सी बीमारी अस्थिमज्जा और ऊतक से संबंधित है ?
(अ) कुकुर खाँसी (ब) श्वेतरक्तता (ल्यूकेमिया)
(स) शीत दंश (फ्रॉस्ट बाइट) (द) वातरोग

527. दाँतों को स्वस्थ रखने के लिए किस प्रकार के खाद्य पदार्थ से बचना चाहिए ?
(अ) मसालेदार (ब) मीठे
(स) नमकीन (द) तीखे

दवाएँ

528. ज्वरहर दवाएँ ली जाती हैं :
(अ) ज्वर उतारने के लिए (ब) रक्तचाप कम करने के लिए
(स) ठंड से मुक्ति के लिए (द) कब्ज दूर करने के लिए

529. एक्स-रे किस बीमारी के इलाज में इस्तेमाल की जा सकती है ?
(अ) कैंसर से संबंधित बीमारी (ब) पैथोलॉजिकल बीमारी
(स) हृदय-वक्ष रोग (द) मनोवैज्ञानिक रोग

530. किस गर्भनिरोधक का कोई दुष्प्रभाव नहीं है ?
(अ) कॉपर टी (ब) मौखिक गर्भनिरोधक
(स) इंट्रायूटेराइन डिवाइस (द) उपर्युक्त में से कोई नहीं

531. दर्द निवारक दवा किससे मुक्ति के लिए इस्तेमाल करते हैं ?
(अ) दर्द से (ब) बुखार
(स) खाँसी (द) अपच

532. यदि दुर्घटना की वजह से चेहरा विकृत हो गया है तो यह ठीक हो सकता है :

(अ) दवा से (ब) लेसर किरण से
(स) पोषण से (द) प्लास्टिक सर्जरी से

533. कौन सी चीज एक व्यक्ति से दूसरे व्यक्ति में प्रत्यारोपित करना आसान है ?
(अ) गुर्दा (ब) हृदय
(स) रक्त (द) फेफड़ा

534. रिकेट्स (सूखा रोग) किससे ठीक हो सकता है ?
(अ) विटामिन डी (ब) विटामिन बी कॉम्प्लेक्स
(स) विटामिन ए (द) उपर्युक्त में से कोई नहीं

535. अगर किसी व्यक्ति का गुर्दा काम नहीं कर रहा है तो उसे कौन सा उपचार दिया जाता है ?
(अ) गुर्दे की शल्य चिकित्सा (ब) शरीर में रक्त चढ़ाना
(स) विकिरण चिकित्सा (रेडियोथेरेपी) (द) डायलिसिस

536. बारबिट्यूरेट किस रूप में लिया जाता है ?
(अ) पेट साफ करनेवाली दवा (ब) नींद लानेवाली गोली
(स) प्लेसिबो (द) दर्द निवारक

537. ट्यूबरक्यूलोसिस की वैक्सीन है :
(अ) बैसिली-कैलमेट-गुएरिन वैक्सीन (ब) सेबिन वैक्सीन
(स) साल्क वैक्सीन (द) टी.ए.बी. वैक्सीन

538. जब मनोवैज्ञानिक कारणों से रोगी की सेहत ज्यादा खराब रहती है तो उपचार के लिए क्या देते हैं ?
(अ) एंटीबायोटिक (ब) प्लेसेबो
(स) नींद की गोली (द) पानी का इंजेक्शन

□

XVII
आवश्यक विज्ञान

गणित

539. 'केनिग्सबर्ग के सात पुल' नामक मशहूर टोपोलॉजी प्राब्लम को किसने आगे बढ़ाया?
(अ) कार्ल गॉस (ब) पियरे लाप्लास
(स) लियोनार्द यूलर (द) ए.एन. ह्वाइटहीड

540. किसके नाम से 6174 संख्या मशहूर है?
(अ) कुर्त्त गोदेल (ब) मार्टिन गार्डनर
(स) डी.आर. कापरेकर (द) रॉबर्ट हॉफ्सटेड्टर

541. जीरो का असली नाम क्या था?
(अ) जेफ़र (ब) शून्य
(स) सिफ्र (द) सिफर

542. मिस्र के गणित के बारे में हमारे ज्ञान का स्रोत क्या है?
(अ) रिंद पैपाइरस (ब) फराओ का मकबरा
(स) उपर्युक्त दोनों (द) उपर्युक्त में से कोई नहीं

543. किस गणितज्ञ की किताब के बाद ही 'एल्जेबरा' शब्द गढ़ा गया?
(अ) लियोनार्दो दि विंसी (ब) लियोनार्दो दा पिसा
(स) अल काशी (द) अल ख्वारिजामी

544. किसने कहा—'ईश्वर हमेशा रेखागणित की रीति से आकार बनाता है'?
(अ) प्लेटो (ब) यूडोक्सस
(स) रेने डेकार्ट (द) अल्बर्ट आइंस्टीन

545. निम्नलिखित में से किस यंत्र को बनाने में शून्य ने अहम् भूमिका निभाई है?

(अ) एबैकस | (ब) कंप्यूटर
(स) ट्रांजिस्टर | (द) घड़ी

546. ऋणात्मक संख्या का विचार किसने दिया ?
(अ) अरब देश | (ब) भारत
(स) इटली | (द) यूनान

547. निम्नलिखित ज्यामितीय आकृतियों में किसकी एक सतह होती है और एक किनारा होता है ?
(अ) घन | (ब) मोबियस पट्टी
(स) शंकु | (द) बेलन

548. किस गणितज्ञ के बारे में माना जाता है कि उसने अलौकिक साधनों की मदद से कुछ महत्त्वपूर्ण गणितीय समस्याएँ हल की हैं ?
(अ) जी.एच. हार्डी | (ब) हेनरी पॉयनकेयर
(स) एस. रामानुजन | (द) जॉर्ज कैंटर

549. जुआ खेलना भी एक अध्ययन का विषय है। यह गणित की किस शाखा के अंतर्गत आता है ?
(अ) प्रोबेबिलिटी | (ब) टोपोलॉजी
(स) क्षेत्रमिति | (द) त्रिकोणमिति

550. कौन सा विषय अकसर हर किसीके परिहास की चीज रहता है, चूँकि मनचाहा परिणाम पाने के लिए इसमें फेरबदल कर सकते हैं ?
(अ) प्रोजेक्टिव ज्यामिति | (ब) कैलकुलस
(स) सांख्यिकी | (द) बीजगणित

551. संख्याएँ 1, 1, 2, 3, 5, 8, 13, 21, ...किस रूप में जानी जाती हैं ?
(अ) काल्पनिक संख्याएँ | (ब) फिबोनेसी संख्याएँ
(स) फर्मेट संख्याएँ | (द) अभाज्य संख्याएँ

552. इसे किस रूप में जानते हैं ?

1
1 1
1 2 1
1 3 3 1
1 4 6 4 1

(अ) जंत्र-मंत्र (अब्राकाडाब्रा) | (ब) जादुई त्रिकोण

(स) पास्कल त्रिकोण (द) गॉस त्रिकोण

553. गणित की किस शाखा में सत्य सारिणी सामने आती है ?
(अ) कंप्यूटर तर्क (ब) ज्यामिति
(स) गोलीय त्रिकोणमिति (द) बीजगणित

भूगोल

554. दुनिया का सबसे गरम झरना कहाँ है ?
(अ) येलोस्टोन नेशनल पार्क, संयुक्त राज्य अमेरिका
(ब) कुल्लू, हिमाचल प्रदेश, भारत
(स) तूराल, महाराष्ट्र, भारत
(द) लासुंद्रा, गुजरात, भारत

555. दुनिया का सबसे दूरस्थ द्वीप कहाँ है, जहाँ आबादी है ?
(अ) त्रिस्तान दा कुन्हा (ब) सेशेल्स
(स) निकोबार (द) मालदीव

556. जब कैप्टन रॉबर्ट एफ. स्कॉट इस जगह पर पहुँचा तो वह चिल्लाया—'हे ईश्वर! यह एक डरावनी जगह है।' वह जगह कौन सी है ?
(अ) सहारा मरुस्थल (ब) अमेजन जंगल
(स) दक्षिण ध्रुव (द) गोबी मरुस्थल

557. खारे जल (ब्रैकिश वाटर) का सबसे बड़ा क्षेत्र कौन सा है ?
(अ) बाल्टिक सागर (ब) लाल सागर
(स) बैकाल झील (द) कैस्पियन सागर

558. अब तक की खोजी गई सबसे बड़ी गुफा कहाँ है ?
(अ) चीन (ब) दक्षिण-पूर्वी एशिया
(स) भारत (द) स्पेन

559. दुनिया का सबसे बड़ा प्रवाल 'ग्रेट बैरियर रीफ' किस शहर के निकट है ?
(अ) कैनबरा (ब) कैलिफोर्निया
(स) ब्रिसबेन (द) होनोलूलू

560. 50° दक्षिण और 60° दक्षिण के बीच का सागर समूह किस नाम से जाना जाता है ?
(अ) गरजता चालीसा (रोरिंग फोर्टीज) (ब) अंटार्कटिका सम्मिलन
(स) विषुवत् प्रदेश (द) अश्व अक्षांश

561. पृथ्वी पर सबसे पुरानी चट्टान कहाँ पाई गई ?

(अ) दामोदर नदी घाटी, भारत

(ब) बैकाल झील, पूर्व सोवियत संघ

(स) मिनेसोटा नदी घाटी, संयुक्त राज्य अमेरिका

(द) गैबॉन, दक्षिण अफ्रीका

562. दुनिया में मीठे पानीवाली सबसे गहरी झील कौन सी है ?

(अ) टिटिकाका (ब) सांबर

(स) बैकाल (द) चिल्का

563. कौन सा महाद्वीप बर्फ से ढका है ?

(अ) आर्कटिक (ब) अंटार्कटिका

(स) ग्रीनलैंड (द) आइसलैंड

कृषि

564. किस खाद्यान्न में प्रोटीन की अधिक मात्रा मिलती है ?

(अ) कसावा (ब) सोयाबीन

(स) गेहूँ (द) मक्का

565. पृथ्वी के संपूर्ण धरातल के कितने हिस्से में खाद्यान्न उगाए जाते हैं ?

(अ) एक प्रतिशत (ब) तिरपन प्रतिशत

(स) बयासी प्रतिशत (द) ग्यारह प्रतिशत

566. अन्य खाद्यान्नों के मुकाबले चार फसलें सबसे ज्यादा मात्रा में उगाई जाती हैं, नाम बताएँ ?

(अ) गेहूँ, जई, आलू और सोयाबीन (ब) जौ, जई, चावल और राई

(स) गेहूँ, मक्का, आलू और चावल (द) चावल, आलू, राई और मक्का

567. कृषि कार्य के लिए फसल काटनेवाले यंत्र का आविष्कार किसने किया ?

(अ) थॉमस ई. एडिसन (ब) साइरस मैक्कॉर्मिक

(स) थॉमस जेफर्सन (द) लुईस रॉबर्ट

568. बहुत प्राचीन काल से भारत किसकी खेती के लिए मशहूर है ?

(अ) कपास (ब) गेहूँ

(स) चाय (द) कोको

569. एक फसल की कटाई के बाद अग्रलिखित में से मिट्टी में किस तत्त्व की कमी हो जाती है ?

(अ) कैल्शियम (ब) पोटाशियम
(स) फास्फोरस (द) जस्ता

570. कृषि रसायनशास्त्र में किसके व्याख्यान के परिणामस्वरूप खेतों में खाद का इस्तेमाल होने लगा ?
(अ) हैंस गोल्डस्मिट (ब) यूजेन बॉमैन
(स) हंफ्री डेवी (द) विल्हेम प्रेफर

571. चॉकलेट के जायके का कुदरती स्त्रोत कोको है। यह पेड़ के किस हिस्से से मिलता है ?
(अ) बीज (ब) पत्तियाँ
(स) तना (द) फूल

572. किस भोज्य पदार्थ का मूल उद्गम स्थान भारत है ?
(अ) तिनपतिया घास (ब) इलायची
(स) आलू (द) खजूर

573. निम्नलिखित सब्जियों में कौन सी कवक है ?
(अ) फूलगोभी (ब) मूली
(स) खुंबी (द) पालक

574. किस देश में मक्का 'कॉर्न' के नाम से और मूँगफली 'पीनट' के रूप में जाना जाता है ?
(अ) ब्रिटेन (ब) उत्तरी अमेरिका
(स) कनाडा (द) थाईलैंड

575. खेती में इस्तेमाल होनेवाले किस रसायन में मुख्यतया नाइट्रोजन, पोटैशियम और फास्फोरस है ?
(अ) खर-पतवारनाशक (ब) उर्वरक
(स) कीटनाशक (द) उपर्युक्त में से कोई नहीं

576. खाद्यान्न उत्पादन के लिए नकदी फसल के रूप में गहूँ की बीस प्रजातियों में से कितनी प्रजातियों की खेती की जा रही है ?
(अ) पाँच (ब) एक
(स) दो (द) सभी

577. आलू का उद्गम स्थान कहाँ है ?
(अ) भारत (ब) चिली
(स) आयरलैंड (द) जर्मनी

578. किस वैज्ञानिक के काम का अंजाम कृषि विज्ञान के व्यवस्थित विकास के रूप में निकला?

(अ) रॉबर्ट डब्ल्यू. होली (ब) रोजर बेकन

(स) जस्टस वॉन लिबिग (द) फ्रिट्ज हेबर

579. कौन सी सब्जी सारी दुनिया में उगाई जाती है?

(अ) खीरा (ब) गाजर

(स) कटहल (द) कोई नहीं

580. किस तत्त्व का इस्तेमाल कवकनाशक के रूप में होता है?

(अ) गंधक (ब) पोटैशियम

(स) कार्बन (द) कैल्शियम

581. किस रसायनज्ञ ने डी.डी.टी. के कीटनाशक गुण को दर्शाया?

(अ) पॉल मूलर (ब) ऑटो फ्रैंकल

(स) स्टानिस्लाव कैनिजारो (द) एलेक्जेंडर टॉड

582. निम्नलिखित जीवों में कौन किसानों के लिए बहुत ही फायदेमंद है?

(अ) केंचुआ (ब) चूहा

(स) बया पक्षी (द) उपर्युक्त में से कोई नहीं

583. पर्वतों और पहाड़ी इलाकों में किस प्रकार की खेती की जाती है?

(अ) झूम खेती (ब) सीढ़ीदार खेती

(स) सघन खेती (द) उपर्युक्त में से कोई नहीं

☐

XVIII

महत्त्वपूर्ण शास्त्र

मानवशास्त्र

584. नर वानर के जीवाश्मों का भंडार कहाँ मिला है ?
(अ) अफ्रीका (ब) भारत
(स) थाईलैंड (द) दक्षिणी अमेरिका

585. 'सिकल-सेल एनीमिया' आमतौर पर किनमें पाया जाता है ?
(अ) नीग्रो (ब) रेड इंडियन
(स) यूरोपवासी (द) मंगोल

586. किसने कहा कि 'मनुष्य औजार बनानेवाला प्राणी है' ?
(अ) एलेक्जेंडर बेल (ब) बेंजामिन फ्रैंकलिन
(स) टी.एच. हक्सले (द) थियोफ्रेस्टस

587. भारत के लोग किस नस्लीय समूह के हैं ?
(अ) ऑस्ट्रेलाएड (ब) कॉशेशाएड
(स) मंगोलाएड (द) नीग्रोएड

588. 'लूसी' नाम का क्या महत्त्व है ?
(अ) एक नर वानर जीवाश्म (ब) एक मानव विज्ञानी
(स) जीवाश्मस्थल (द) उपर्युक्त में से कोई नहीं

589. विभिन्न जलवायु क्षेत्र के निवासियों में किनका वजन औसतन भारी होता है ?
(अ) भारतवासी (ब) यूरोपवासी
(स) एस्किमो (द) ऑस्ट्रेलियावासी

590. 'होमो सेपिएंस' का क्या मतलब है ?

(अ) बुद्धिमान व्यक्ति (ब) मनुष्य
(स) मानव समूह (द) औजार निर्माता

591. 'डोगोन' जनजाति कहाँ निवास करती है ?
(अ) युगांडा (ब) माले
(स) मेक्सिको (द) पेरु

592. प्राचीन मानव 'रामापिथिकस' का पहला जीवाश्म कहाँ खोजा गया ?
(अ) अफ्रीका (ब) चीन
(स) जावा (द) भारत

593. भारतीय गोंड जनजाति किस राज्य में रहती है ?
(अ) उत्तर प्रदेश (ब) मध्य प्रदेश
(स) बंगाल (द) महाराष्ट्र

594. 'आवास और भोजन के लिए निरंतर संघर्ष'—इस मुहावरे को किसने गढ़ा ?
(अ) चार्ल्स डार्विन (ब) फ्रांसिस गाल्टन
(स) टी.आर. माल्थस (द) जे.बी.एस. हाल्डेन

भूगर्भशास्त्र

595. किस ज्वालामुखी विस्फोट का सबसे गहरा अध्ययन किया गया है ?
(अ) मौना लो (ब) माउंट एटना
(स) माउंट सेंट हेलेना (द) माउंट कैटमई

596. निम्नलिखित महाद्वीपों में कौन 'पैंजिया' का हिस्सा नहीं था ?
(अ) यूरेशिया (ब) कोई नहीं
(स) भारतीय उपमहाद्वीप (द) दक्षिणी अमेरिका

597. सबसे बड़ी और मशहूर भूगर्भीय गड़बड़ी कहाँ पाई गई ?
(अ) कैलिफोर्निया, संयुक्त राज्य अमेरिका (ब) असम, भारत
(स) ओसाका, जापान (द) मौना की, हवाई

598. कोयला कौन सी चट्टानों में मौजूद रहता है ?
(अ) कार्बोनीफेरस चट्टान (ब) कैंब्रियन चट्टान
(स) परमियन चट्टान (द) टरशियरी चट्टान

599. भूकंप के झटकों को किस यंत्र से मापते हैं ?
(अ) ग्रैवीमीटर (ब) क्विक रिकॉर्डर

(स) सिस्मोग्राफ (द) ग्रैविटी रिकॉर्डर

600. धरती की आकृति को बताने के लिए किस शब्द का प्रयोग करते हैं ?
(अ) जीआएड (ब) गोला
(स) ध्रुवों पर चपटा गोला (द) अंडाकार

601. कीचड़ ज्वालामुखी किस देश में मिलती है ?
(अ) भारत (ब) श्रीलंका
(स) न्यूजीलैंड (द) हवाई

602. 'नुनाटक' कहाँ पाए जाते हैं ?
(अ) ग्रीनलैंड (ब) ऑस्ट्रेलिया
(स) दक्षिणी अमेरिका (द) कनाडा

603. दो देशों को एक सँकरी पट्टी से जोड़नेवाला 'स्थल डमरूमध्य' (इस्थमस) कहाँ है ?
(अ) पाल्क स्ट्रेट (ब) स्वेज नहर
(स) बरमूदा (द) बेरिंग स्ट्रेट

पुरातत्त्वशास्त्र

604. किसी घटना की तारीख की गणना करने के लिए किस चीज का इस्तेमाल करते हैं ?
(अ) वृक्ष की गाँठ (ब) औजार
(स) पानी (द) उपर्युक्त में से कोई नहीं

605. यह प्राचीन यंत्र खुदाई में कहाँ मिला, जिसे यूनानी खगोलविद् ग्रहों की स्थिति का निर्धारण करने के लिए इस्तेमाल करते थे ?
(अ) मारसिली का समुद्री छोर (ब) बरमूदा का समुद्री छोर
(स) रॉयल बंदरगाह का समुद्री छोर (द) अंदीकीथिरा का समुद्री छोर

606. सिंधु घाटी सभ्यता में निम्नलिखित चीजें खुदाई में मिलीं। इनमें से किसका इस्तेमाल लिपियों को पढ़ने में किया जा रहा है ?
(अ) मुहरें (ब) मनका
(स) प्रस्तर लेख (द) खिलौने

607. 'लैंड सेट' उपग्रह का प्रयोग करके प्राचीन नदी सरस्वती का उद्‌गम स्रोत और रास्ता खोजा गया था। भारत में यह नदी कहाँ पाई गई ?
(अ) महाराष्ट्र (ब) कश्मीर

(स) राजस्थान (द) असम

608. निम्नलिखित विशेष पुरातात्त्विक स्थलों में सोने का खजाना कहाँ पाया गया?

(अ) फ्रैंक्ती गुफा (ब) माचू-पिचू

(स) माल्टा के मंदिर (द) तुतानखामुन का मकबरा

609. दुनिया में 'पानी के अंदर का पुरातत्त्वशास्त्र' पर शोध कहाँ शुरू हुआ था?

(अ) भूमध्य सागर (ब) मृत सागर

(स) अटलांटिक महासागर (द) पनामा नहर

610. प्राचीन और समृद्ध इंका सभ्यता के लोगों ने संख्या आदि लिखने के लिए किस चीज का इस्तेमाल किया?

(अ) मनका (ब) रस्सी

(स) लकड़ी (द) पत्थर

611. किस देश में 'नाज्का रेखा' पाई गई? यह जानवरों और चिड़ियों की विशाल तसवीर है, जो आसमान से देखी गई है?

(अ) चिली (ब) न्यूजीलैंड

(स) पेरु (द) तिब्बत

612. निम्नलिखित देशों में से किसका व्यापारिक संबंध सिंधु घाटी सभ्यता के साथ था?

(अ) ईरान (ब) इराक

(स) लीबिया (द) बर्मा अब म्याँमार

613. हड़प्पा के पुरातात्त्विक स्थलों में एक संपूर्ण बंदरगाह कहाँ पाया गया?

(अ) कालीबंगन (ब) आमरी

(स) लोथल (द) दायमाबाद

614. निम्नलिखित चीजों में से किससे पत्थर की उम्र का पता चलता है?

(अ) जीवाश्म (ब) क्रिस्टल

(स) दरार (द) बाँध

□

XIX

अग्रगामी विज्ञान

ऊर्जा

615. नाभिकीय भट्ठियों में किस नाभिकीय ईंधन का इस्तेमाल होता है ?
(अ) प्लूटोनियम (ब) यूरेनियम
(स) थोरियम (द) लिथियम

616. ऊर्जा का सबसे बड़ा उपभोक्ता देश कौन सा है ?
(अ) पूर्व सोवियत संघ (ब) फ्रांस
(स) कनाडा (द) संयुक्त राज्य अमेरिका

617. कौन सा प्राथमिक मूल कण नाभिकीय ऊर्ज़ा के उत्पादन के लिए 'बंदूक के घोड़े' की तरह काम करता है ?
(अ) मेसॉन (ब) प्रोटॉन
(स) न्यूट्रॉन (द) हेप्टॉन

618. भारत में समुद्री ज्वार से बिजली बनाने का कारखाना कहाँ बनने वाला है ?
(अ) कच्छ की खाड़ी (ब) गोदावरी डेल्टा
(स) कन्याकुमारी (द) कहीं नहीं

619. आधुनिक पनडुब्बी किस ईंधन से चलती है ?
(अ) नाभिकीय ईंधन (ब) पेट्रोल
(स) कोयला (द) हाइड्रोजन

620. हॉलैंड में एक बार किस प्रकार के गैर पारंपरिक ऊर्जा स्रोत का इस्तेमाल बड़े पैमाने पर किया गया था ?
(अ) पवन ऊर्जा (ब) ज्वार ऊर्जा

(स) तरंग ऊर्जा (द) उपर्युक्त में से कोई नहीं

621. भविष्य में बड़े पैमाने पर ईंधन के लिए किसका इस्तेमाल किया जाने वाला है ?

(अ) लकड़ी (ब) पेट्रोल

(स) मीथेन (द) हाइड्रोजन

622. सूर्य से आनेवाली किन किरणों को घरेलू इस्तेमाल के लिए विद्युत् ऊर्जा में बदला जा सकता है ?

(अ) अवरक्त किरण (ब) एक्स किरण

(स) पराबैंगनी किरण (द) गामा किरण

623. किस ईंधन से दृश्य या अदृश्य दोनों ही रूप में सबसे ज्यादा प्रदूषण पैदा होता है ?

(अ) नाभिकीय ईंधन (ब) पेट्रोल

(स) कोयला (द) लकड़ी

624. निम्नलिखित ऊर्जा के प्रकारों में से कौन सा दुनिया के ऊर्जा संकट को हल कर देगा, बशर्ते कि कुछ खास परिस्थितियाँ जरूरी तौर पर जारी रहें ?

(अ) विलयन ऊर्जा (ब) सौर ऊर्जा

(स) लेसर ऊर्जा (द) भूतापीय ऊर्जा

625. 'न्यूट्रॉन मोडरेटर' के रूप में न्यूक्लियर रिएक्टर में इस्तेमाल होने वाला भारी जल (हेवी वाटर) क्या है ?

(अ) ड्यूटेरियम (ब) प्रोटियम

(स) ट्रिटियम (द) हीलियम

626. रॉकेट में किस ईंधन का इस्तेमाल होता है ?

(अ) कोयला (ब) यूरेनियम

(स) तरल हाइड्रोजन (द) मेथेनॉल

कंप्यूटर

627. पहला 'एनालॉग' कंप्यूटर किसने बनाया ?

(अ) जॉर्ज श्यूट्ज (ब) लॉर्ड केल्विन

(स) विलियम आउटरेड (द) जोसफ हेनरी

628. निम्नलिखित में से किसे कंप्यूटर का परदादा कहा जाता है ?

(अ) ई.एन.आई.ए.सी.
(ब) विश्लेषणात्मक इंजन
(स) पास्कलाइन
(द) ज्यूज तृतीय

629. 'सिलिकन वैली' कहाँ स्थित है ?
(अ) हिगाशु–कू, जापान
(ब) लॉस एंजिल्स, अमेरिका
(स) कैंटरबरी, ब्रिटेन
(द) पालो आल्टो, अमेरिका

630. कौन सी कंप्यूटर भाषा सीखना ज्यादा आसान है ?
(अ) बेसिक
(ब) आडा
(स) फोरट्रान
(द) पी.एल./प्रथम

631. कंप्यूटर के इतिहास में पहला प्रोग्रामर किसे माना जाता ?
(अ) लवलेस की काउंटेस ऑगस्टा आडा
(ब) चार्ल्स बैबेज
(स) एलन ट्यूरिंग
(द) डॉर ई. फेल्ट

632. कंप्यूटर को उपभोक्ता मित्र (यूजर फ्रेंडली) कब कहते हैं ?
(अ) जब तुम्हारा मित्र तुम्हें कंप्यूटर उपहार में देता है
(ब) तुम्हारा मित्र इसे इस्तेमाल करता है
(स) कंप्यूटर को, इस्तेमाल करने के लिए, एक मित्र की जरूरत होती है
(द) मित्र की तरह यह व्यवहार करता है

633. कंप्यूटर विज्ञान में 'स्टोर्ड प्रोग्राम' के विचार को किसने आगे बढ़ाया ?
(अ) कोनराड ज्यूस
(ब) वैनेवर बुश
(स) एलन ट्यूरिंग
(द) जॉन वॉन न्यूमैन

634. समर्पित कंप्यूटर वह है :
(अ) जो एक प्रकार के सबक को पूरा करने के लिए समर्पित है
(ब) जो इसके सर्जक को समर्पित है
(स) जो बहुत तेज गति का कंप्यूटर है
(द) जो अपना काम समर्पण के साथ करता है

635. निम्नलिखित में से कौन सी कंप्यूटर की उच्च स्तरीय भाषा नहीं है ?
(अ) फोरट्रान
(ब) कोबोल
(स) बेसिक
(द) उपर्युक्त में से कोई नहीं

636. कंप्यूटर का मस्तिष्क किसे कहते हैं ?
(अ) नियंत्रण कक्ष
(ब) गणितीय कक्ष
(स) इनपुट कक्ष
(द) सेंट्रल प्रोसेसिंग यूनिट

637. प्रथम पीढ़ी का कंप्यूटर किसे कहते हैं ?

(अ) क्रे (ब) एप्पल
(स) लियो (द) प्लेटो

638. किस वैज्ञानिक ने पंच कार्ड ईजाद किया, जो आज भी कुछ कंप्यूटरों में इस्तेमाल होता है ?
(अ) कोनराड ज्यूस (ब) एलन ट्यूरिंग
(स) जॉर्ज स्टिबिट्ज (द) हरमैन हॉलरिथ

639. व्यापारिक प्रयोग के लिए 'यूनिवैक शृंखला' को किसने बनाया ?
(अ) चार्ल्स बैबेज (ब) एच.एच. एकेन
(स) हरमैन गोल्डस्टीन (द) जॉन मॉकली और जे.पी. इकर्ट

640. किस प्रकार के कैलकुलेटर को अकसर पुराने कंप्यूटर के रूप में पुकारते हैं ?
(अ) एबेकस (ब) नेपियर्स बोंस
(स) स्लाइड रूल (द) कंप्यूटर क्लॉक

641. अभी कंप्यूटर चिप्स बनाने के लिए किस पदार्थ का इस्तेमाल किया जाता है ?
(अ) सिलिकन (ब) गैलियम आर्सेनाइड
(स) गैलियम सिलिकेट (द) कार्बन

642. निम्नलिखित में से किस चीज के लिए कंप्यूटर का इस्तेमाल नहीं किया जा सकता है ?
(अ) अचेतन के विचार (ब) कूट संदेश को पढ़ना
(स) एक स्थिति का विश्लेषण (द) कविता लेखन

643. जनसंख्या के डाटा के विश्लेषण के लिए पहली बार कंप्यूटर का इस्तेमाल किसने किया था ?
(अ) हरमन हॉलरिथ (ब) क्लॉड शेनॉन
(स) रॉबर्ट शॉकली (द) जॉन बारडीन

जैव तकनीक

644. किस जैव रासायनिक प्रक्रिया का इस्तेमाल बहुत ही प्राचीन काल से इनसान करता आ रहा है ?
(अ) खमीरीकरण (ब) टिशु कल्चर
(स) क्लोनिंग (द) जीन इंजीनियरिंग

645. किस सूक्ष्म जीव का जीन बदला गया, ताकि यह तेल की तलछट खा सके ?

(अ) एस्केरेचिया कोलाई (ब) स्यूडोमोनास

(स) एंटअमीबा कोलाई (द) फाइलोकोकस ऑरियस

646. जैव तकनीक किस चीज से विभिन्न प्रकार के ईंधन पैदा करेगी ?

(अ) खनिज (ब) वायु

(स) धातु (द) बायोमास

647. निम्नलिखित में से किसका जीन बदला जाएगा, ताकि यह जानवरों और मछलियों के चारे के रूप में इस्तेमाल हो सके ?

(अ) डाएटम (ब) नीला-हरा शैवाल

(स) गुड़ (द) कॉर्न

648. जीन इंजीनियरिंग से किस औषधीय उत्पाद को सबसे ज्यादा फायदा होगा ?

(अ) एंटीबायोटिक (ब) सल्फा ओषधि

(स) एंटीसेप्टिक (द) एंटी डिप्रेसेंट

649. बड़े पैमाने पर किस काम के लिए जैव तकनीक का इस्तेमाल होने वाला है ?

(अ) कपड़ा धुलाई (ब) कचरा सफाई

(स) उपर्युक्त दोनों में (द) उपर्युक्त किसी में नहीं

650. जीन इंजीनियरिंग के प्रयोगों के लिए ज्यादातर किस सूक्ष्म जीव का इस्तेमाल होता है ?

(अ) स्यूडोमोनस (ब) बैसिलस सबटाइलिस

(स) राइजोबियम (द) एस्केरेचिया कोलाई

651. पाव रोटी बनाने में आटा, पानी एवं नमक के अलावा और किसकी जरूरत खासतौर पर होती है ?

(अ) खमीर (ब) चीनी

(स) अंडा (द) रंग

652. निम्नलिखित में से किस जैव रासायनिक उत्पाद को कैंसर का इलाज माना जाता है ?

(अ) मोनोक्लोनल एंटीबॉडीज (ब) इंटरफेरॉन

(स) उपर्युक्त दोनों (द) उपर्युक्त में से कोई नहीं

653. अग्रलिखित में किसमें विभिन्न जरूरत के लिए जीन का बदलाव किया

जा सकता है ?

(अ) डी.एन.ए.
(ब) आर.एन.ए.
(स) उपर्युक्त दोनों
(द) दोनों में से कोई नहीं

पर्यावरण

654. निम्नलिखित आविष्कारों में से किसमें न ही ईंधन की खपत होती है, न प्रदूषण पैदा होता है; स्वस्थ रखता है और खर्चीला भी नहीं है ?

(अ) रेडियो
(ब) साइकिल
(स) सौर चूल्हा
(द) खेनेवाला जहाज

655. खगोलीय तापमान के कितना नीचे गिर जाने पर धरती पर 'बर्फ युग' आ जाएगा ?

(अ) 1^0 सें.
(ब) 10^0 सें.
(स) 17^0 सें.
(द) 4^0 सें.

656. पृथ्वी की जलवायु को प्रभावित करने में कौन सी गैस निर्णायक भूमिका अदा करती है ?

(अ) ऑक्सीजन
(ब) नाइट्रोजन
(स) कार्बन डाइऑक्साइड
(द) हाइड्रोजन

657. ' 'पृथ्वी' अंतरिक्ष यान के बारे में अब एक बहुत ही महत्त्वपूर्ण बात है कि इसके साथ कोई निर्देशिका पुस्तक साथ नहीं आई'—किसने कहा ?

(अ) जेम्स लवलॉक
(ब) लेविस थॉमस
(स) कार्ल सैगान
(द) आर. बकमिंस्टर फुलर

658. अम्ल वर्षा से कौन सा सजीव प्राणी सबसे ज्यादा प्रभावित होता है ?

(अ) स्तनधारी
(ब) मछली
(स) पक्षी
(द) बैक्टीरिया

659. सुपर सोनिक वायुयान और रॉकेट किसका सबसे अधिक नुकसान करते हैं ?

(अ) समतापमंडल
(ब) औरोरा बोरियलिस
(स) ओजोन परत
(द) आयनमंडल

660. सबसे पुराना पारितंत्र किसका है ?

(अ) मूँगा प्रवाल
(ब) उष्ण कटिबंधीय बरसाती वन
(स) मैंग्रोव
(द) नदीमुख (एस्चुअरी)

661. भारत में चार में से तीन तरह के बायोम हैं। अग्रलिखित में से कौन सा विजातीय है ?

(अ) उष्ण कटिबंधीय बरसाती वन (ब) सवाना

(स) समशीतोष्ण घास के मैदान (द) झाड़ी

662. निम्नलिखित विज्ञान लेखकों में से किसने कहा—'मौजूदा सदी में 'मानव' नामक प्रजाति है, जिसने समय के मात्र एक पल में अपनी दुनिया की प्रकृति को बदलने की महत्त्वपूर्ण शक्ति हासिल की'?

(अ) नाइजेल कैल्डर (ब) रशेल कारसन

(स) डेविड अटेनबरॉ (द) वाल्टर सुलीवन

663. सजीव प्राणी के रूप में पृथ्वी का वैज्ञानिक नाम क्या है ?

(अ) सीता (ब) गेया

(स) हर्मीस (द) हरा ग्रह

664. कौन सा जीव एक अच्छा प्रदूषण निर्देशक (पॉल्यूशन मॉनीटर) है ?

(अ) घोंघा (मोलस्क) (ब) शार्क

(स) आर्माडिल्लो (द) सूरजमुखी

665. पक्षियों के अंडे के छिलके को पतला करने के लिए जिम्मेदार मुख्य कारक कौन सा है ? कभी-कभी इसकी वजह से बच्चे पैदा नहीं हो पाते हैं ?

(अ) डी.डी.टी. (ब) सल्फर डाइऑक्साइड का धुआँ

(स) पारा (द) अम्लीय वर्षा

666. वियतनाम युद्ध में किस निष्पत्रक (डिफॉलिएंट) का व्यापक स्तर पर इस्तेमाल किया गया, जिसके परिणामस्वरूप वृक्ष और वनस्पतियों के विनाश के अलावा इनसानों तथा जानवरों की मौत हुई और उनमें बीमारियाँ फैलीं ?

(अ) एजेंट रेड (ब) एजेंट ऑरेंज

(स) उपर्युक्त दोनों (द) उपर्युक्त में से कोई नहीं

667. सबसे ज्यादा ध्वनि प्रदूषण किससे फैलता है ?

(अ) मोटर गाड़ी (ब) हवाई जहाज के उड़ान भरने से

(स) पॉप संगीत (द) रेल का इंजन

668. 1957–58 के दौरान विभिन्न देशों के वैज्ञानिक पृथ्वी और उसके पर्यावरण के अध्ययन के लिए एक साथ जुटे थे। इस प्रयोग को क्या कहा गया ?

(अ) ग्लोबल रिसर्च प्रोजेक्ट

(ब) पृथ्वी के लिए अंतरराष्ट्रीय वैज्ञानिक अभियान

(स) पृथ्वी का विश्वस्तरीय अध्ययन

(द) अंतरराष्ट्रीय भू-भौतिकीय वर्ष

इलेक्ट्रॉनिक्स

669. डायोड का इस्तेमाल किया जाता है :

(अ) ए.सी. धारा को डी.सी. धारा में बदलने के लिए

(ब) इलेक्ट्रोलाइसिस

(स) धनात्मक आवेश से ऋणात्मक आवेश में बदलने के लिए

(द) बिजली बनाने के लिए

670. किस आविष्कार ने इलेक्ट्रॉनिक सामानों का आकार छोटा कर दिया?

(अ) वाल्व (ब) ट्रांजिस्टर

(स) चिप (द) उपर्युक्त में से कोई नहीं

671. टेलीविजन का एक खास पुरजा है :

(अ) वाल्व (ब) कैथोड रे ट्यूब

(स) एंटीना (द) स्क्रीन

672. जब आप स्टेशन पकड़ने के लिए रेडियो का नॉब घुमाते हो तो दरअसल आप किसे बदलते हो?

(अ) रेडियो आवृत्ति को (ब) प्रतिरोध को

(स) वोल्टेज (द) धारा

673. टेलीफोन के माइक्रोफोन का डायाफ्राम बना होता है :

(अ) सिलिकन का (ब) लेड का

(स) कार्बन का (द) अभ्रक का

674. किसके इस्तेमाल से क्षितिज से क्षितिज संकेत प्रक्षेपण संभव है?

(अ) रेडियो तरंग (ब) प्रकाश

(स) सूक्ष्म तरंग (द) ध्वनि तरंग

675. ट्रांजिस्टर एक :

(अ) सेमीकंडक्टर है (ब) वाल्व है

(स) चिप है (द) इनमें से कोई नहीं है

676. प्रतिरोधक पर लगी रंगीन पट्टियाँ क्या दर्शाती हैं?

(अ) वजन (ब) प्रतिरोधक मूल्य
(स) संवहन मूल्य (द) प्रकृति और गुण

677. इलेक्ट्रॉनिक्स नाम कहाँ से निकला?
(अ) इलेक्ट्रोड (ब) इलेक्ट्रेट
(स) इलेक्ट्रिक फ्लास्क (द) इलेक्ट्रॉन

678. टेलीविजन के रिसेप्शन में क्या चीज बाधा पैदा करती है?
(अ) सुपर सोनिक वायुयान (ब) रॉकेट प्रक्षेपण
(स) कार (द) साइकिल

अंतरिक्ष

679. संयुक्त राज्य अमेरिका और पूर्व सोवियत संघ के अलावा कौन सा देश अंतरिक्ष कार्यक्रम से सज्जित है?
(अ) कनाडा (ब) भारत
(स) फ्रांस (द) ऑस्ट्रेलिया

680. कौन सा अंतरिक्ष यान उल्कापिंड की भाँति गिरा था?
(अ) स्काइलैब (ब) स्पेसलैब
(स) चैलेंजर (द) उपग्रह प्रक्षेपण वाहन

681. किस लूनर मोड्यूल ने चाँद के धरातल पर पहले आदमी को उतारा?
(अ) ओरियन (ब) एंटारेस
(स) फैल्कन (द) ईगल

682. किस अंतरिक्ष यान के दो 'डॉकिंग पोर्ट' थे? यह स्थायी स्पेस स्टेशन बनाने की दिशा में पहला कदम था।
(अ) सैल्यूत-3 (ब) सैल्यूत-6
(स) स्काइलैब (द) अपोलो-16

683. अंतरिक्ष में जानेवाला पहला अंतरिक्ष यान :
(अ) चैलेंजर (ब) एटलांटिस
(स) कोलंबिया (द) इंटरप्राइज

684. किस विमान ने अंतरिक्ष के सिरे पर यानी स्थलीय वायुमंडल के 99 प्रतिशत से ऊपर उड़ान भरी?
(अ) एक्स-15 (ब) एक्स-20
(स) टी-38 (द) टी.यू.-144

685. कौन सा उपग्रह कम ऊँचाई पर धरती का चक्कर लगाता है ?

(अ) मौसम विज्ञान संबंधी उपग्रह (ब) संचार उपग्रह

(स) नेविगेशन उपग्रह (द) जासूसी उपग्रह

686. अंतरिक्ष में रहने का सबसे लंबा रिकॉर्ड कितने दिनों का है ?

(अ) 211 दिन (ब) 237 दिन

(स) 378 दिन (द) 114 दिन

687. निम्नलिखित में से किसकी अनुपस्थिति के कारण यान प्रक्षेपण के लिए ध्रुवीय प्रदेश उत्तम है ?

(अ) मरीचिका (ब) बर्फ की आँधी

(स) वान एलेन विकिरण क्षेत्र (द) इनमें से कोई नहीं

688. चंद्रमा तक पहुँचने वाली पहली मानव निर्मित वस्तु है :

(अ) स्पूतनिक–2 (ब) पायोनियर–4

(स) अपोलो–1 (द) लूना–1

689. अमेरिकी अपोलो और सोवियत सोयूज के अंतरिक्ष यात्रियों ने किस वर्ष आपस में हाथ मिलाया था ?

(अ) 1960 (ब) 1981

(स) 1979 (द) 1975

690. चंद्रमा के पत्थरों को धरती पर लानेवाला पहला अंतरिक्ष यान कौन सा है ?

(अ) लूना–1 (ब) अपोलो–8

(स) लूना–16 (द) लूनाखोड–1

691. चंद्रमा के किस स्थल पर नील आर्मस्ट्राँग के पाँव पड़े थे ?

(अ) डेस्कार्टेस (ब) ओसीनस प्रोसेलेरम

(स) साइनस मेडी (द) मेअर ट्रांसक्विलिटैटिस

692. किस भारतीय उपग्रह ने विविध प्रकार के काम अंजाम दिए ?

(अ) इनसैट–ए (ब) आर्यभट्ट

(स) रोहिणी (द) भास्कर द्वितीय

महासागर संबंधी अध्ययन

693. सागर की गहराई जानने के लिए किस उपकरण का इस्तेमाल किया जाता है ?

(अ) बाथीस्फियर (ब) हाइड्रोफोन
(स) बाथीस्केफ (द) माइक्रोफोन

694. निकट भविष्य में किस समुद्री जीव की भोजन के लिए बड़े पैमाने पर खेती की जाएगी ?
(अ) क्रिल (ब) जूप्लैंकटन
(स) ह्वेल (द) केकड़ा

695. पानी के अंदर लंबे समय तक रहने के लिए गोताखोर किस उपकरण का इस्तेमाल करते हैं ?
(अ) स्नोरकेल (ब) गोताखोरी की घंटी
(स) जलफेफड़ा (एक्वालंग) (द) चश्मा

696. सागर के तल और गहराई का पता करने और जाँचने के लिए किस उपकरण का इस्तेमाल किया जाता है ?
(अ) सोनार (ब) राडार
(स) लाडार (द) सोडार

697. सबसे प्रदूषित सागर कौन सा है ?
(अ) अरब सागर (ब) भूमध्य सागर
(स) उत्तरी सागर (द) वेडेल सागर

698. सागर के अध्ययन के लिए कौन सा भारतीय पोत नया आया है ?
(अ) गवेषणी (ब) सागर संपदा
(स) सागर कन्या (द) सागर सम्राट

699. ऊपर की ओर चपटे आइसबर्ग कहाँ बनते हैं ?
(अ) ग्रीनलैंड के पास (ब) उत्तर सागर
(स) अंटार्कटिका के निकट (द) कहीं नहीं

700. सागर किसका बड़ा स्रोत है ?
(अ) भोजन का (ब) खनिज-लवण का
(स) ऊर्जा का (द) उपर्युक्त सबका

701. भिन्न-भिन्न गहराइयों में सागर के अध्ययन के लिए रोबोट बाँह से सज्जित डुबकी लगाने लायक यंत्र कौन सा है ?
(अ) एल्विन (ब) त्रियेस्ट
(स) आर्किमिदी (द) बेंथोस्कोप

702. पहले के सागर के बारे में जानकारी के लिए किस चीज का इस्तेमाल

किया जाता था ?

(अ) मूँगा (ब) समुद्र का भीतरी हिस्सा

(स) अलग-अलग गहराई का जल (द) मलबा

जैव रसायन

703. सजीव जगत् में किसे 'ऊर्जा कण' के रूप में जाना जाता है ?

(अ) ए.टी.पी. (ब) ए.डी.पी.

(स) टी.एन.टी. (द) आर.एन.ए.

704. किस विटामिन में धातु का अंश होता है ?

(अ) विटामिन ई (ब) विटामिन ए

(स) विटामिन सी (द) विटामिन $बी_{12}$

705. धरती पर कौन सा पॉलीमर प्रचुर मात्रा में उपलब्ध है ?

(अ) लकड़ी (ब) रबर

(स) प्लास्टिक (द) कीचड़

706. शर्करा का कौन सा प्रकार दूध में पाया जाता है ?

(अ) फ्रक्टोज (ब) लैक्टोज

(स) ग्लूकोज (द) सुक्रोज

707. लिटमस निकाला जाता है :

(अ) झाड़ियों से (ब) पतवार से

(स) लाइकेन से (द) पत्थर से

708. आँसू में बैक्टीरिया को मारनेवाला कौन सा एंजाइम होता है ?

(अ) एमाइलेज (ब) यूरिएज

(स) कोई नहीं (द) लाइसोजाइम

709. गन्ने के रस में किस तरह की शर्करा मिलती है ?

(अ) माल्टोज (ब) ग्लूकोज

(स) सुक्रोज (द) फ्रक्टोज

710. मानव रक्त में कौन सा प्रोटीन मौजूद रहता है ?

(अ) हीमोग्लोबिन (ब) इंसुलिन

(स) मायोसिन (द) ट्रिप्सिन

711. बैक्टीरिया की किस प्रजाति को भोजन में बढ़ने दिया गया तो भोजन जहरीला हो जाएगा ?

(अ) सैक्रोमाइसिस सेरेविसी (ब) क्लॉस्ट्रिडियम बोटुलिनम
(स) स्ट्रेप्टोमाइसिस ग्रिसियस (द) इस्चेरेशिया कोलाई

712. जब दूध खट्टा हो जाता है तो क्या बनता है ?
(अ) केसीन (ब) लैक्टिक अम्ल
(स) साइट्रिक अम्ल (द) रेनिन

713. पिपरमिंट का जायका निकाला जाता है :
(अ) पौधे से (ब) खनिज-लवण से
(स) वृक्ष के तने से (द) मछली से

714. किस रसायन का इस्तेमाल शक्कर के विकल्प के रूप में होता है ?
(अ) वैनिला (ब) सैकेरिन
(स) इंसुलिन (द) केसीन

अंटार्कटिका

715. अंटार्कटिका के प्रथम भारतीय अभियान का नेतृत्व किसने किया ?
(अ) जी.एस. सिरोही (ब) एस.जेड. कासिम
(स) एस.एस. शर्मा (द) वी.के. रैना

716. किस ग्रह की स्थिति अंटार्कटिका जैसी है ?
(अ) बुध (ब) बृहस्पति
(स) शुक्र (द) मंगल

717. अंटार्कटिका पर कदम रखनेवाला प्रथम भारतीय कौन है ?
(अ) जी.एस. सिरोही (ब) एस.जेड. कासिम
(स) पी.एस. सेहरा (द) एस.टी. कुलकर्णी

718. निम्नलिखित परिघटनाओं में से कौन सी अंटार्कटिका में नहीं घटती है ?
(अ) मरीचिका (ब) ऑरोरा ऑस्ट्रेलिस
(स) ह्वाइट आउट्स (द) टोरनेडो

719. अंटार्कटिका पहुँचनेवाला प्रथम व्यक्ति कौन था ?
(अ) पॉल स्कॉट (ब) थॉमस कुक
(स) फेबियन गॉटलिब बेलिंगशॉसेन (द) एड्रिएन डि गरलेश

720. निम्नलिखित जीवों में से कौन अंटार्कटिका में नहीं पाया जाता ?
(अ) तेंदुआ सील (ब) बादशाह पेंगविन
(स) ध्रुवीय भालू (द) लाइकेन

721. दक्षिणी ध्रुव पर पहुँचनेवाला प्रथम व्यक्ति कौन था ?
(अ) रोल्ड एमंडसन (ब) रॉबर्ट फैल्कन स्कॉट
(स) फ्रांसिस ड्रेक (द) फर्डिनेंड मैगलन

722. सन् 1958 की अंटार्कटिका संधि पर किस देश ने हस्ताक्षर नहीं किया है ?
(अ) पूर्व सोवियत संघ (ब) ऑस्ट्रेलिया
(स) फ्रांस (द) भारत

723. अंटार्कटिका नाम कहाँ से निकला है ?
(अ) यूनानी नाम 'थूल' से (ब) ऑस्ट्रेलेशिया महाद्वीप से
(स) भालू नक्षत्र से (द) एक प्राचीन खोजी के नाम से

724. अंटार्कटिका के लिए निम्नलिखित में से कौन सा नाम सही है ?
(अ) जमा हुआ रेगिस्तान (ब) बर्फीला स्वर्ग
(स) पेंग्विन की भूमि (द) शीतित महाद्वीप

725. पाँच महीने तक अंटार्कटिका में अकेला रहनेवाला व्यक्ति कौन था ?
(अ) अर्नेस्ट शैकलटन (ब) चेरी गैरार्ड
(स) रिचर्ड ई. बायर्ड (द) उपर्युक्त में से कोई नहीं

726. अंटार्कटिका पर भारतीय स्टेशन कहाँ स्थित है ?
(अ) क्वीन मॉड लैंड (ब) रॉस आइस शेल्फ
(स) एडेली लैंड (द) ब्रेडमोर ग्लेशियर

727. '1958 अंटार्कटिका संधि' कब खत्म होगी ?
(अ) सन् 1999 में (ब) सन् 2000 में
(स) सन् 2050 में (द) उपर्युक्त में कोई नहीं

728. अंटार्कटिका में सबसे कम तापमान कितना और कहाँ रिकॉर्ड किया गया ?
(अ) -88^0 सें., वोस्टक, रूसी स्टेशन
(ब) -10^0 सें., वोस्टक, रूसी स्टेशन
(स) -36^0 सें., मैकमर्डो साउंड, अमेरिकी स्टेशन
(द) -70^0 सें., मैकमर्डो साउंड, अमेरिकी स्टेशन

729. किस पेंग्विन का नाम एक खोजी की पत्नी के नाम पर पड़ा ?
(अ) जेंटू पेंग्विन (ब) किंग पेंग्विन
(स) एडली पेंग्विन (द) इनमें से कोई नहीं

□

XX

गाँवों, उद्योगों और हथियारों के लिए विज्ञान

गाँव

730. निम्नलिखित में से कौन सा आविष्कार अधिकांश भारतीय गाँवों के ऊर्जा संकट को हल कर देगा, बशर्ते कि यह सस्ता और कार्यकुशल हो ?
(अ) सौर ऊर्जा (ब) लेसर फ्यूजन
(स) ज्वारीय बिजली उत्पादन (द) पवन चक्की

731. किस कार्यक्रम के दौरान एक अमेरिकी उपग्रह की मदद से भारत के हजारों गाँवों में दूरदर्शन के कार्यक्रम दिखाए गए ?
(अ) साइट (ब) स्टेप
(स) इनसैट (द) इनमें से कोई नहीं

732. बंजर भूमि में खेती के लिए पेड़ों की कौन सी प्रजाति बेहतर है ?
(अ) धमन (ब) मूँगा माधवी
(स) नीम (द) बावबाब

733. भारत के गाँवों में बड़े पैमाने पर किस ऊर्जा स्रोत को अपनाने की कोशिश की गई ?
(अ) छोटे न्यूक्लियर प्लांट (ब) बायोगैस प्लांट
(स) पवन चक्की (द) छोटे थर्मल प्लांट

734. ग्रामीण इलाकों के लिए संचार के किस साधन को और बेहतर बनाना चाहिए ?
(अ) साइकिल (ब) बैलगाड़ी
(स) रेल लाइन (द) ताँगा

735. तेल और ईंधन के लिए बड़े पैमाने पर किस वृक्ष को आजकल गाँव में

लगाया जा रहा है ? यह बहुत तेजी से बढ़नेवाली प्रजाति का पेड़ है ?

(अ) केवड़ा (ब) कंजु

(स) यूकेलिप्टिस (द) असन

736. बंजर भूमि का सबसे बड़ा क्षेत्र कहाँ है ?

(अ) मध्य प्रदेश (ब) असम

(स) महाराष्ट्र (द) राजस्थान

737. उपयुक्त तकनीक आंदोलन की शुरुआत किसने की ?

(अ) महात्मा गांधी (ब) जैकब ब्रोनोवस्की

(स) ई.एफ. शूमेकर (द) एमरी लोविंस

738. निम्नलिखित में से किसे सुधारा जाना चाहिए, ताकि ग्रामवासी ईंधन संरक्षित कर सकें ?

(अ) स्टोव (ब) सौर ऊर्जा से सुखानेवाला

(स) चूल्हा (द) पेट्रोमैक्स

739. पहाड़ी और बरसाती इलाकों में ऊर्जा उत्पादन के लिए किस ऊर्जा स्रोत का आसानी से इस्तेमाल किया जा सकता है ?

(अ) छोटे बाँध (ब) पावर पैक

(स) सौर बैटरी (द) उपर्युक्त में से कोई नहीं

740. सबसे ज्यादा वनाच्छादित क्षेत्र कहाँ हैं ?

(अ) पश्चिम बंगाल (ब) हिमाचल प्रदेश

(स) मध्य प्रदेश (द) उड़ीसा

उद्योग

741. किस उद्योग में लकड़ी की खपत सबसे ज्यादा होती है ?

(अ) दियासलाई उद्योग (ब) खेल के सामान का उद्योग

(स) फर्निचर उद्योग (द) कागज और लुगदी उद्योग

742. बड़े पैमाने पर उद्योग में किस इस्तेमाल के लिए रोबोट का उपयोग किया जाने वाला है ?

(अ) कामगारों पर निगाह रखने के लिए

(ब) कारखाने से भंडार घर तक सामान ले जाने के लिए

(स) कामगारों की मदद के लिए

(द) वेल्डिंग के लिए

743. किस गणितीय विषय का उद्योग में उत्पादों की गुणवत्ता नियंत्रण के लिए प्रयोग किया जाता है ?

(अ) टोपोलॉजी (ब) सांख्यिकी

(स) प्रोजेक्टिव ज्यामिति (द) क्षेत्रमिति

744. कौन सा विषय जल्दी ही हमारे उद्योग जगत् में हलचल मचानेवाला है ?

(अ) जैव तकनीक (ब) लेसर

(स) सुपर कंडक्टिविटी (द) सिरामिक्स

745. निम्नलिखित में से किसने कामगारों को एक नए तरह के श्वसन रोग का शिकार बनाया है ?

(अ) हीरा (ब) ग्रेफाइट

(स) एस्बेस्टॉस (द) बेकेलाइट

746. सबसे सस्ता औद्योगिक तेजाब कौन सा है ?

(अ) गंधकाम्ल (ब) हाइड्रोक्लोरिक अम्ल

(स) नाइट्रिक अम्ल (द) साइट्रिक अम्ल

747. कौन सा उद्योग धरती को नहीं रहने लायक बना सकता है ?

(अ) अंतरिक्ष उद्योग (ब) खदान उद्योग

(स) जहाजरानी उद्योग (द) नाभिकीय उद्योग

748. दुनिया का सबसे बड़ा उद्योग कौन सा है ?

(अ) तेल (ब) रसायन

(स) हथियार (द) अंतरिक्ष

749. निम्नलिखित में से कौन पर्यावरण को सबसे ज्यादा प्रदूषित करता है ?

(अ) पैट्रोरसायन उद्योग (ब) इलेक्ट्रॉनिक्स उद्योग

(स) विमान उद्योग (द) कागज उद्योग

750. निम्नलिखित में से कौन सा रासायनिक उद्योग किसी भी दूसरे उद्योग के मुकाबले ज्यादा उत्पाद मुहैया कराता है ?

(अ) पॉलीमर उद्योग (ब) फॉर्मास्युटिकल उद्योग

(स) कृषि रसायन उद्योग (द) भारी रसायन उद्योग

हथियार

751. पहला एटम बम परीक्षण कहाँ हुआ ?

(अ) बिकनी द्वीप (ब) लॉस एलमॉस

(स) यूराल पर्वत (द) अलामोगोरडो

752. किस बम से सजीव मर जाते हैं, पर उसके द्वारा निर्मित वस्तु पर कोई असर नहीं पड़ता है?

(अ) हाइड्रोजन बम (ब) न्यूट्रॉन बम

(स) एटम बम (द) इनमें से कोई नहीं

753. किस हथियार को एक जगह से दूसरी जगह हमेशा चक्के पर ले जाया जाता है?

(अ) क्रूज मिसाइल (ब) एम.एक्स. मिसाइल

(स) उपग्रह मारक (द) अंतरमहाद्वीपीय बैलिस्टिक मिसाइल

754. अत्याधुनिक 'फेज्ड एरे राडार' कहाँ स्थापित किया गया है? यह मिसाइलों के रास्ते की पहचान करता है।

(अ) बेरिंग स्ट्रेट (ब) पनामा नहर

(स) स्वेज नहर (द) हवाई

755. किस मिसाइल को रॉकेट की तरह प्रक्षेपित किया जाता है और यह अपने निशाने की तरफ विमान की तरह जाता है?

(अ) पनडुब्बी से छोड़ा गया बैलिस्टिक मिसाइल

(ब) क्रूज मिसाइल

(स) एक्सोटिक मिसाइल (द) उपर्युक्त में से कोई नहीं

756. अब तक का सबसे महँगा हथियार कार्यक्रम कौन सा है?

(अ) आई.सी.बी.एम. (ब) स्टार वार

(स) एस.एल.बी.एम. (द) पोलरिस

757. नाभिकीय बम से बचाव के लिए किस देश में शेल्टर बनाया गया है?

(अ) संयुक्त राज्य अमेरिका (ब) ब्रिटेन

(स) भूतपूर्व सोवियत संघ (द) स्विट्जरलैंड

758. किस अंतरिक्ष वाहन का इस्तेमाल युद्ध के दौरान हथियार के रूप में किया जा सकता है?

(अ) लैंडसैट (ब) अंतरिक्ष यान

(स) जासूसी उपग्रह (द) पायोनियर-10

759. नए आविष्कृत उपकरणों में से किसका इस्तेमाल मल्लयुद्ध की तरह किया जानेवाला है?

(अ) कंप्यूटर (ब) रोबोट

(स) दूरसंवेदी उपग्रह (द) इनमें से कोई नहीं

760. किस किरण का इस्तेमाल रात में देखने के लिए किया जाता है?

(अ) पराबैंगनी किरण (ब) एक्स किरण

(स) लेसर किरण (द) अवरक्त किरण

761. जापान पर गिराए गए पहले एटम बम का 'कूट नाम' क्या था?

(अ) लिट्ल बॉय (ब) बैड लक

(स) गुड बाई (द) बेबी

विज्ञान-कथा

762. '2001 : ए स्पेस ओडिसी' किसने लिखा है?

(अ) रे ब्रैडबरी (ब) ऑर्थर सी. क्लार्क

(स) स्टेनली क्यूब्रिक (द) डगलस एडम्स

763. रोबोटिक्स का नियम किसने दिया?

(अ) वाल्टेअर (ब) स्टानिस्लाव लेम

(स) केरेल कैपेक (द) आइजेक एसीमोव

764. खासतौर पर ज्यामिति और द्विविमीय को लोकप्रिय करने के लिए लिखी गई प्रथम विज्ञान-कथा कौन सी है?

(अ) फ्लैटलैंड (ब) प्लेनीवर्स

(स) डाइमेंसन (द) स्पेक्ट्रम

765. किस विज्ञान-कथा में प्रोफेसर चैलेंजर नामक अनश्वर चरित्र है?

(अ) दि डोर इनटू समर (ब) दि कॉस्मिक कोर्टशिप

(स) केव्स ऑफ स्टील (द) दि लॉस्ट वर्ल्ड

766. किस विज्ञान-कथा में पहली बार कृत्रिम उपग्रह का जिक्र किया गया था?

(अ) दि रेडियो प्लैनेट (ब) दि ब्रिक मून

(स) रॉकेट्स टू नोह्वेअर (द) दि मेकर ऑफ दि मून्स

767. 'द मार्शिअन क्रॉनिकल्स' का लेखक कौन है?

(अ) एडगर राइसबरो (ब) ऑर्थर सी. क्लार्क

(स) रे ब्रेडबरी (द) जॉन डब्ल्यू. कैंपबेल

768. उत्तम विज्ञान-कथा लेखक और सिनेमा निर्माता कौन है?

(अ) माइकल क्रिक्टन (ब) जॉर्ज लूकाश

(स) स्टेनली कुब्रिक (द) लेस्टर डेल री

769. 'फ्रैंकस्टीन' किसने लिखी? यह पहली विज्ञान-कथा है, जिसमें प्रयोगशाला में बनाए गए सजीव प्राणी के बुरे कारनामों का जिक्र है।

(अ) ब्रियां एल्डीस (ब) फिलिप के. डिक

(स) मेरी शेली (द) रिचर्ड कॉपर

770. किस विज्ञान-कथा ने यह विचार दिया कि आजकल कंप्यूटर का बेजा इस्तेमाल कैसे किया जा सकता है?

(अ) स्टार वार्स (ब) वार गेम्स

(स) प्रील्यूड टू पेरिल (द) दि आयरन ड्रीम

771. किस पुरस्कार विजेता विज्ञान-कथा में अंतरिक्ष कॉलोनी का विशद वर्णन है?

(अ) कैट्स क्रेडल (ब) रैंडेजेवस विथ रामा

(स) लॉस्ट इन स्पेस (द) कैप्टिव यूनिवर्स

772. कंप्यूटर पर बनी विज्ञान-कथा सिनेमा कौन सी है?

(अ) ट्रॉन (ब) स्टार वार्स

(स) एलियन (द) कोकून

773. निम्नलिखित विज्ञान-कथा लेखकों में से कौन एक प्रसिद्ध खगोल भौतिकीविद् है?

(अ) आइजेक एसीमोव (ब) फ्रेड हॉयल

(स) मुरे लींस्टर (द) फ्रैंक हरबर्ट

774. चंद्रमा के बारे में अपने विचार को लोकप्रिय करने के लिए किस खगोलशास्त्री ने विज्ञान-कथा लिखी?

(अ) टाइको ब्राहे (ब) जोहांस केपलर

(स) ऑटो स्ट्रूव (द) परसिवल लॉवेल

775. निम्नलिखित में से कौन विज्ञान-कथा लेखक रॉकेट विशेषज्ञ है?

(अ) जेम्स ब्लिश (ब) कॉन्सटैंटीन स्यालकोवस्की

(स) फ्रिट्ज लीबर (द) डैमन नाइट

776. किस विज्ञान-कथा लेखक ने खगोलीय उपग्रह संचार का विचार दिया था?

(अ) ऑर्थर सी. क्लार्क (ब) ब्रियां एल्डीस

(स) जूल्स वर्न (द) एच.जी. वेल्स

777. '20,000 लीग्स अंडर दि सी' किसने लिखी?

(अ) जूल्स वर्न
(ब) जैक्स कोस्ट्यू
(स) पॉल एंडरसन
(द) किसीने नहीं

778. पिछले दिनों में सबसे ज्यादा बिकनेवाली विज्ञान-कथा पुस्तक कौन सी है?

(अ) दि सांग्स ऑफ डिस्टेंट अर्थ
(ब) रोबोट्स एंड अंपायर
(स) दि हिच-हाइकर्स गाइड टू दि यूनिवर्स
(द) ड्रेगंस एग

779. निम्नांकित में से कौन भारतीय वैज्ञानिक विज्ञान-कथा लेखक भी है?

(अ) सी.एन.आर.. राव
(ब) जे.वी. नार्लीकर
(स) ई.सी.जी. सुदर्शन
(द) इनमें से कोई नहीं

780. 'थ्रू दि लुकिंग ग्लास' विज्ञान-कथा के लेखक का पेन नेम लेविस कैरोल है, मगर उसका असली नाम क्या है?

(अ) चार्ल्स लुटविज डॉजसन
(ब) जॉर्ज ऑस्टलर
(स) नॉरमन लेविस
(द) सी.ओ. सिल्वेस्टर

781. 'दि वार ऑफ दि वर्ल्ड्स' किसने लिखी?

(अ) जेरेमी कैंपबेल
(ब) जोसफ ओ' नील
(स) एच.जी. वेल्स
(द) नैथन इलियट

□

XXI

पुस्तक और संस्थान

782. संयुक्त राज्य अमेरिका में डी.डी.टी. के दुष्प्रभाव के बारे में किस पुस्तक ने लोगों का ध्यान खींचा, जिससे दुनिया भर में हलचल मच गई?
(अ) साइलेंट स्प्रिंग (ब) लाइफ ऑन अर्थ
(स) नेचर वाच (द) दि लिविंग प्लैनेट

783. किस पुस्तक से अचेतन मस्तिष्क के बारे में एक नई दृष्टि मिली?
(अ) साइंस एंड ह्यूमैन बिहेवियर (ब) ऑब्जेक्टिव नॉलेज
(स) दि लाइफ ऑफ दि माइंड (द) दि इंटरप्रेटेशन ऑफ ड्रीम्स

784. दुनिया में प्रकाशित होनेवाली प्रथम विज्ञान पुस्तक कौन सी है?
(अ) अरस्तू की 'ऑरगेनन' (ब) हिप्पोक्रेट्स की 'एफोरिस्म्स'
(स) प्लाइनी की 'नेचरल हिस्ट्री'
(द) आर्किमिडीज की 'ऑन दि स्फेयर एंड सिलिंडर'

785. 'ऑन दि स्ट्रक्चर ऑफ दि ह्यूमैन बॉडी' का लेखक कौन है?
(अ) गैलेन (ब) एंड्रीयस वेसेलियस
(स) अरस्तू (द) एविसेना

786. निम्नलिखित प्रसिद्ध साहित्यिक पुस्तकों में से किसकी कथावस्तु मुख्यतया एक गणितीय खेल है? इसमें अवर्णित विज्ञान भी अच्छी मात्रा में है।
(अ) एलिस इन वंडरलैंड (ब) गुलिवर्स ट्रैवल
(स) फ्रैंकेंस्टीन (द) ए क्रिसमस कैरोल

787. 'बृहतसंहिता' किसने लिखी? यह विविध विषयों पर वैज्ञानिक सूचनाओं का मुख्य संग्रह है?
(अ) वराहमिहिर (ब) चरक
(स) नागार्जुन (द) कणाद

788. निम्नलिखित में से कौन सी पुस्तक एक खगोलविद् राजा ने लिखी है ?
(अ) डायलॉग ऑन दि टू चीफ वर्ल्ड सिस्टम (ब) अल्माजेस्ट
(स) सेलेनोग्राफिया (द) साइडेरस नांसियस

789. बीजगणित की शास्त्रीय पुस्तक 'लीलावती' किसने लिखी ?
(अ) ब्रह्मगुप्त (ब) डायोफैंटस
(स) भास्कर (द) आर्यभट्ट

790. निम्नलिखित में से किस पुस्तक ने यूरोप को हिंदू संख्याओं और गणित से परिचित कराया ?
(अ) लिबर एबेसी (ब) हिसाब अल-जब्र वा-अल-मुकाबला
(स) नेचरल क्वेश्चंस (द) ओपस मेजस

791. किस पुस्तक ने रसायन को चिकित्सकों से आजाद कराया ? इस पुस्तक ने लेखक को आधुनिक रसायन विज्ञान का संस्थापक बनाया है।
(अ) केमिस्ट्री एप्लाइड टू मेडिकल आर्ट्स
(ब) दि स्केप्टिकल केमिस्ट
(स) इंट्रोडक्शन टू नेचरल फिलॉसफी
(द) एलिमेंट्री ट्रीटिज ऑन केमिस्ट्री

अंतरराष्ट्रीय संस्थान

792. दुनिया की सबसे पुरानी वेधशाला कहाँ स्थित है ?
(अ) कोपेनहेगेन, डेनमार्क (ब) ग्रीनविच, ब्रिटेन
(स) कोमसोंग्दी, दक्षिण कोरिया
(द) माउंट हॉपकिंस, संयुक्त राज्य अमेरिका

793. वह कौन सी वैज्ञानिक संस्था है, जो विज्ञान और उसके इस्तेमाल की विभिन्न शाखाओं के बीच समन्वय का काम अंतरराष्ट्रीय स्तर पर करती है ?
(अ) आई.एन.एस.ए. (ब) आई.सी.एस.यू.
(स) ए.ए.ए.एस. (द) सी.ओ.एस.पी.ए.आर.

794. 'विश्व वन्यजीव निधि कोष' का मुख्यालय कहाँ स्थित है ?
(अ) मुंबई, भारत (ब) लॉस एंजिल्स, संयुक्त राज्य अमेरिका
(स) न्यू जर्सी, चैनल द्वीप (द) ग्लैंड, स्विट्जरलैंड

795. अग्रलिखित खगोलीय वेधशालाओं में से किसका देशांतर शून्य माना जाता है ?

(अ) पेरिस वेधशाला, फ्रांस
(ब) रॉयल वेधशाला, ग्रीनविच, संयुक्त राज्य अमेरिका
(स) मद्रास वेधशाला, भारत
(द) पुलकोवा वेधशाला, पूर्व सोवियत संघ

796. 'विश्व स्वास्थ्य संगठन' का मुख्यालय कहाँ स्थित है ?
(अ) रोम, इटली (ब) मनीला, फिलीपींस
(स) जिनेवा, स्विट्जरलैंड (द) पीट्सबर्ग, संयुक्त राज्य अमेरिका

797. किस वैज्ञानिक संस्था का उद्देश्य विकासशील देशों में विज्ञान और तकनीक को बढ़ावा देना है ?
(अ) आई.ए.यू. (ब) सी.ओ.एस.टी.ई.डी.
(स) आई.एस.सी.ए. (द) इनमें से कोई नहीं

798. अंतरराष्ट्रीय परमाणु ऊर्जा एजेंसी कहाँ स्थित है ? यह नाभिकीय ऊर्जा को शांतिपूर्ण इस्तेमाल के लिए बढ़ावा देनेवाली और नाभिकीय परीक्षणों पर निगाह रखनेवाली संस्था है ?
(अ) कराची, पाकिस्तान (ब) इलिनॉइस, संयुक्त राज्य अमेरिका
(स) वियना, ऑस्ट्रिया (द) पेरिस, फ्रांस

799. दुनिया में एकमात्र उड़ती हुई वेधशाला कौन सी है ?
(अ) कुइपर एयरबोर्न लेबोरेटरी (ब) स्पेस लैब
(स) जेट प्रोपल्शन लेबोरेटरी (द) उपर्युक्त में से कोई नहीं

800. दुनिया का सबसे पुराना विज्ञान संग्रहालय कहाँ स्थित है ?
(अ) साइंस म्यूजियम, संयुक्त राज्य अमेरिका
(ब) अमेरिकन म्यूजियम ऑफ नेचरल हिस्ट्री, संयुक्त राज्य अमेरिका
(स) नेशनल म्यूजियम ऑफ नेचरल हिस्ट्री, भारत
(द) नेशनल म्यूजियम ऑफ मैन, कनाडा

801. 'यूनेस्को' का मुख्यालय कहाँ स्थित है ?
(अ) पेरिस, फ्रांस (ब) मास्को, रूस
(स) वाशिंगटन, संयुक्त राज्य अमेरिका (द) कैनबरा, ऑस्ट्रेलिया

802. कौन सी अंतरराष्ट्रीय संस्था विज्ञान के लोकप्रियकरण के लिए 'कलिंग पुरस्कार' देती है ?
(अ) यूनेस्को (ब) संयुक्त राष्ट्र
(स) विश्व वन्य जीव कोष (द) यू.एन.डी.पी.

803. 'खाद्य एवं कृषि संगठन' का मुख्यालय कहाँ स्थित है ?

(अ) पेरिस, फ्रांस　(ब) कोलंबो, श्रीलंका

(स) टोकियो, जापान　(द) रोम, इटली

804. आज की सर्वाधिक प्रतिष्ठित विज्ञान संस्था 'रॉयल सोसाइटी ऑफ लंदन' कब स्थापित हुई थी ?

(अ) 1560　(ब) 1180

(स) 1309　(द) 1660

805. किस खगोलीय वेधशाला के द्वारा बताए गए समय के अनुसार दुनिया भर की घड़ियाँ मिलाई जाती हैं ?

(अ) यू.एस. नवल ऑब्जर्वेटरी, वाशिंगटन

(ब) रॉयल ग्रीनविच ऑब्जर्वेटरी, संयुक्त राज्य

(स) रॉयल ऑब्जर्वेटरी, पीट्सबर्ग, संयुक्त राज्य

(द) हार्वर्ड ऑब्जर्वेटरी, संयुक्त राज्य

806. विश्व मौसम संगठन का मुख्यालय कहाँ स्थित है ?

(अ) लॉस एंजिल्स, यू.एस.ए.　(ब) जिनेवा, स्विट्जरलैंड

(स) नई दिल्ली, भारत　(द) लंदन, संयुक्त राज्य

807. पृथ्वी के जैवमंडल की देखरेख के लिए किस अंतरराष्ट्रीय संगठन की स्थापना की गई ?

(अ) आई.यू.सी.एन.　(ब) यूनेस्को

(स) विश्व वन्य जीव कोष　(द) यू.एन.ई.एफ.

□

XXII

तिथियाँ और कथन

विज्ञान के इतिहास में तिथियाँ

808 नील आर्मस्ट्राँग चंद्रमा के धरातल पर कब उतरा?

(अ) 1960 (ब) 1969

(स) 1978 (द) 1971

809. डी.एन.ए. की हेलिकल संरचना की खोज कब हुई?

(अ) 1960 (ब) 1984

(स) 1953 (द) 1904

810. यूरी गगारिन ने अंतरिक्ष यान में धरती का चक्कर कब लगाया?

(अ) 1967 (ब) 1961

(स) 1957 (द) 1975

811. नागासाकी और हिरोशिमा पर पहला एटम बम कब गिराया गया?

(अ) 1918 (ब) 1940

(स) 1945 (द) 1942

812. अल्बर्ट आइंस्टीन ने आपेक्षिकता के सामान्य सिद्धांत की रचना कब की?

(अ) 1876 (ब) 1900

(स) 1915 (द) 1960

813. प्राचीन सभ्यताओं में से एक सिंधु घाटी सभ्यता कब शुरू हुई?

(अ) 200 ईसा पूर्व (ब) 3000 ईसा पूर्व

(स) 10,000 ईसा पूर्व (द) 4000 ईसा पूर्व

814. लॉर्ड रदरफोर्ड ने परमाणु को कब तोड़ा?

(अ) 1899 (ब) 1945

(स) 1928 (द) 1911

815. राइट बंधुओं ने हवाई जहाज से भी भारी जहाज में पहली उड़ान कब भरी ?

(अ) 1900 (ब) 1876

(स) 1845 (द) 1903

816. साइबेरिया के टुंगुस्का में विशाल उल्कापिंड कब गिरा ?

(अ) 1901 (ब) 1908

(स) 1877 (द) 1808

817. रोएंटजेन ने एक्स-रे की खोज कब की ?

(अ) 1900 (ब) 1908

(स) 1895 (द) 1780

818. जोसफ लिस्टर ने कार्बोलिक अम्ल का एंटीसेप्टिक के रूप में कब इस्तेमाल किया ?

(अ) 1790 (ब) 1867

(स) 1678 (द) 1908

819. जो व्यक्ति तकनीक के खिलाफ होता है उसे 'लुडाइट' कहते हैं। इस शब्द की शुरुआत एक दंगे में हुई, जब कुछ बेरोजगार नौजवानों ने इंग्लैंड में मशीनों को तोड़ देने की कोशिश की। यह दंगा कब हुआ था ?

(अ) 1800 (ब) 1890

(स) 1870 (द) 1812

820. एडवर्ड जेनर ने चेचक के वैक्सीन की खोज कब की ?

(अ) 1897 (ब) 1567

(स) 1689 (द) 1796

821. जॉन डाल्टन की 'न्यू सिस्टम ऑफ केमिकल फिलॉसफी' कब प्रकाशित हुई, जिसमें उसने परमाणु का सिद्धांत दिया था ?

(अ) 1810 (ब) 1934

(स) 1876 (द) 1890

822. जेम्स वाट ने स्टीम इंजन का आविष्कार कब किया था ?

(अ) 1889 (ब) 1679

(स) 1907 (द) 1765

823. मॉण्टगोल्फियर बंधुओं ने बैलून को सफलतापूर्वक हवा में कब छोड़ा था ?

(अ) 1790 (ब) 1890

(स) 1783 (द) 1900

824. कार्ल लिनियस की 'सिस्टमा नेचर' कब प्रकाशित हुई, जिसमें उसने जानवरों, पौधों और खनिजों का वर्गीकरण किया है?

(अ) 1230 (ब) 1580

(स) 1409 (द) 1768

825. यह कहा जाता है कि भारत चार सौ वर्षों तक दुनिया भर में गणित का केंद्र था। भारत की गणित में श्रेष्ठता कब शुरू हुई?

(अ) 500 ईस्वी (ब) 800 ईस्वी

(स) 400 ईस्वी (द) 200 ईसा पूर्व

826. आइजेक न्यूटन का सिद्धांत 'प्रिंसिपिया मैथमैटिका' कब प्रकाशित हुआ?

(अ) 1579 (ब) 1687

(स) 1587 (द) 1479

827. वैज्ञानिक खोजों के समर्थन करने के आरोप में गिओर्दानो ब्रूनो को कब जलाया गया था?

(अ) 1200 (ब) 1500

(स) 1600 (द) 1700

828. निकोलस कॉपरनिकस की पुस्तक 'डी रिवोल्यूशनीब्स ऑरबियम सीलेस्टियम' कब प्रकाशित हुई थी, जिसमें 'सूर्य के ब्रह्मांड का केंद्र' होने का दावा किया गया है। इस पुस्तक ने खगोलविद्या में परिवर्तन ला दिया?

(अ) 1543 (ब) 1657

(स) 1190 (द) उपर्युक्त में से कोई नहीं

829. प्रसिद्ध पक्षी विज्ञानी सलीम अली द्वारा किए गए जुलाहा पक्षी के जीवन से संबंधित खोज के रोचक नतीजे कब सामने आए?

(अ) 1970 (ब) 1960

(स) 1930 (द) 1950

830. ऐसा कहा जाता है कि गुप्त काल में भारत में गणित, तकनीक और चिकित्सा के क्षेत्र में काफी प्रगति हुई थी। गुप्त वंश की शुरुआत कब हुई?

(अ) 579 ईस्वी (ब) 320 ईस्वी

(स) 135 ईसा पूर्व (द) 110 ईस्वी

831. प्रसिद्ध भारतीय भौतिकीविद् एस.एन. बोस ने प्राथमिक मूल कण 'बोसोन' का विचार कब दिया?

(अ) 1978 (ब) 1924

(स) 1960 (द) 1908

कथन

832. किसने कहा—'कुशाग्रबुद्धि एक प्रतिशत प्रेरणा और निन्यानबे प्रतिशत मेहनत का नाम है'?

(अ) अल्बर्ट आइंस्टीन (ब) थॉमस ई. एडीसन

(स) आइजेक न्यूटन (द) थॉमस जेफर्सन

833. आइजेक न्यूटन के बारे में यह कविता किसने लिखी—'प्रकृति और प्रकृति के नियम रात के अँधेरे में छिपे पड़े रहते हैं : ईश्वर ने कहा 'न्यूटन बनो!' और चारों ओर रोशनी हो गई थी'?

(अ) एलेक्जेंडर पोप (ब) जी.डब्ल्यू. लैब्निज

(स) प्लेटो (द) आइजेक एसीमोव

834. निम्नलिखित वैज्ञानिकों में से किसने कहा—'ज्ञान शक्ति है'?

(अ) फ्रांसिस बेकन (ब) अल्बर्ट आइंस्टीन

(स) अरस्तू (द) यूक्लिड

835. निम्नलिखित विज्ञान के दार्शनिकों में से किसने कहा—'प्रत्यक्ष का विश्लेषण करने के लिए बहुत ही असाधारण दिमाग की जरूरत होती है'?

(अ) बर्ट्रेंड रसेल (ब) चार्ल्स डार्विन

(स) ए.एन. ह्वाइटहीड (द) थॉमस लेविस

836. किस वैज्ञानिक ने कहा—'विज्ञान प्रशिक्षित और संगठित सामान्य समझदारी के सिवा कुछ नहीं है'?

(अ) पीटर मेडावर (ब) टी.एच. हक्सले

(स) आर्किमिडीज (द) जूलियन हक्सले

837. किस विज्ञान लेखक ने कहा—'यह पहला युग है, जिसमें भविष्य के लिए बहुत ही ध्यान दिया गया है। यह एक विडंबना है कि वह हमारे लिए नहीं होगा'?

(अ) ऑर्थर सी. क्लार्क (ब) जूलियन हक्सले

(स) बर्नार्ड डिक्सन (द) जेरेमी बर्नस्टीन

838. किसने कहा—'प्रकृति अनंत है, जिसका केंद्र हर जगह है और जिसकी परिधि कहीं नहीं है'?

(अ) सलीम अली (ब) ब्लेज पास्कल

(स) कोनराड लॉरेंट्ज (द) रोजर बेकन

839. निम्नलिखित विज्ञान दार्शनिकों में से किसने कहा—'हर युग में दुनिया को नए ढंग से देखने और इसके संयोग को दृढ़तापूर्वक स्वीकार करने का युगांतरकारी क्षण आता है'?

(अ) स्टीफन जे. गाउल्ड (ब) जेम्स जींस

(स) ऑर्थर एडिंग्टन (द) जैकब ब्रोनोवस्की

840. किसने कहा—'बड़ी बीमारियों के लिए बड़ा इलाज बहुत उपयुक्त है'?

(अ) गैलेन (ब) हिप्पोक्रेट्स

(स) विलियम हार्वी (द) क्रिश्चियन बर्नार्ड

841. यह प्रसिद्ध वाक्य किसका है—'अब भी यह घूमती है'?

(अ) गैलीलियो गैलिली (ब) निकोलस कॉपरनिकस

(स) जोहांस केपलर (द) टाइको ब्राहे

842. किसने कहा—'ज्यामिति के लिए कोई राजपथ नहीं है'?

(अ) अपोलोनियस (ब) एनक्सिमैंडर

(स) पाइथागोरस (द) यूक्लिड

843. किसने कहा—'खड़े होने के लिए एक पक्की जगह दो, मैं पृथ्वी को घुमाऊँगा'?

(अ) अरस्तू (ब) आर्किमिडीज

(स) अरिस्टैरकस (द) अपोलोनियस

844. किसने कहा—'असली आदमी जानवरों का राजा है, जो अपनी क्रूरता उनपर लादता है'?

(अ) अरस्तू (ब) चार्ल्स डार्विन

(स) लियोनार्दो द विंसी (द) अल्फ्रेड वैलेस

845. किसने कहा—'मैं सोचता हूँ, इसीलिए मैं हूँ'?

(अ) जी.डब्ल्यू. लैब्निज (ब) प्लेटो

(स) रेने डेकार्ट (द) इमैनुअल कांट

846. किसने कहा—'शांति की समस्याओं के समाधान में सक्रिय हिस्सेदारी लेना एक नैतिक कर्तव्य है, जिसे कोई ईमानदार व्यक्ति नहीं टाल सकता है'?

(अ) फ्रीमैन डाइसन (ब) अल्बर्ट आइंस्टीन
(स) फ्रांसिस क्रिक (द) लिनस पॉलिंग

847. किसने टिप्पणी की थी—'मुझे नहीं मालूम कि मैं दुनिया को क्या दिखता हूँ, लेकिन मेरे लिए मुझे ऐसा लगता है कि मैं सागर तट पर खेल रहा बच्चा हूँ, जो चिकने और सुंदर कंकड़ों की तलाश में लगा है। जबकि सत्य का महासागर मेरे सामने अभी भी नहीं तलाशा जा सका है'?

(अ) आइजेक न्यूटन (ब) जोहांस केपलर
(स) अल्बर्ट आइंस्टीन (द) सी.वी. रमन

☐

XXIII

भारतीय वैज्ञानिक और संस्थान

भारतीय वैज्ञानिक

848. देश में नाभिकीय विज्ञान की बुनियाद किसने डाली ?
(अ) राजा रमन्ना (ब) विक्रम साराभाई
(स) एम.जी.के. मेनन (द) एच.जे. भाभा

849. भारत का प्रथम प्राकृतिक इतिहासकार किसे माना जाता है ?
(अ) बादशाह जहाँगीर (ब) सलीम अली
(स) चरक (द) सोलीहोत्र

850. किसने देश में कई वैज्ञानिक प्रयोगशालाएँ बनवाईं ?
(अ) एच.जे. भाभा (ब) बी.डी. नागचौधरी
(स) डी.एस. कोठारी (द) एस.एस. भटनागर

851. भारत में रसायन उद्योग की नींव किसने डाली ?
(अ) एस.एस. भटनागर (ब) पी.सी. रे
(स) टी.आर. शेषाद्रि (द) सी.एन.आर. राव

852. अरस्तू के समान बहुमुखी प्रतिभावाला भारतीय वैज्ञानिक कौन था ?
(अ) चरक (ब) जीविक
(स) वराहमिहिर (द) कपिला

853. विज्ञान लोकप्रियकरण के लिए कलिंग पुरस्कार पानेवाला प्रथम भारतीय कौन था ?
(अ) कोई नहीं (ब) जगजीत सिंह
(स) एस. झा (द) एस.पी. अंबष्ठ

854. सांख्यिकी में शोध की बुनियाद किसने डाली ?

(अ) सी.आर. राव (ब) आर.ए. फिशर
(स) जे.बी.एस. हाल्डेन (द) पी.सी. महलनबीस

855. योग के विचार और नियम प्रथमत: किसने दिए ?
(अ) भोज (ब) पतंजलि
(स) धन्वंतरि (द) वाग्भट्ट

856. भारत में कृषि क्रांति का जनक किसे माना जाता है ?
(अ) एम.एस. स्वामीनाथन (ब) ए.बी. जोशी
(स) नॉर्मन बॉरलॉग (द) डी.एस. अटवाल

857. भारत के नवीनतम 2.34 मीटर ऑप्टिकल टेलीस्कोप के पीछे किस विश्व प्रसिद्ध खगोलविद् का दिमाग था ?
(अ) एम.एन. साहा (ब) एम.के.वी. बापू
(स) वी.वी. श्रीकंटन (द) गोविंद स्वरूप

858. 'रस रत्नाकर' का रचयिता कौन है ?
(अ) अत्रेय (ब) भरद्वाज
(स) दृधाबाला (द) नागार्जुन

859. 'रमन प्रभाव' की खोज सी.वी. रमन ने कब की ?
(अ) 1930 (ब) 1910
(स) 1945 (द) 1928

860. किस चिकित्सक के प्रयास के फलस्वरूप भारत में प्रथम वैज्ञानिक शोध संस्थान की बुनियाद पड़ी ?
(अ) एम.एन. राय (ब) एम.एल. सरकार
(स) एस.एल. होरा (द) फादर लेफोंट

861. भारतीय संख्यांकों का आविष्कारक किसे माना जाता है ?
(अ) श्रीधर (ब) आर्यभट्ट
(स) लागध (द) मेधातिथि

862. देश में अंतरिक्ष विज्ञान की बुनियाद डालनेवाला वैज्ञानिक कौन है ?
(अ) एम.जी.के. मेनन (ब) यशपाल
(स) वी.आर. राव (द) विक्रम साराभाई

863. प्रथम आधुनिक भारतीय खगोलविद् कौन है ?
(अ) सी. रघुनाथचारी (ब) एम.एन. साहा
(स) टी.पी. भास्करन (द) अकबर अली

864. 'विज्ञान दिवस' किस वैज्ञानिक की प्रसिद्ध खोज के नाम पर मनाया जाता है ?

(अ) जे.बी.एस. हाल्डेन (ब) पी.सी. रे

(स) जे.सी. बोस (द) सी.वी. रमन

भारतीय संस्थान

865. भारत में प्रमुख 'कैंसर शोध संस्थान' कहाँ है ?

(अ) चेन्नई (ब) पांडिचेरी

(स) हैदराबाद (द) मुंबई

866. किस प्रसिद्ध कॉलेज में पहली बार विज्ञान की पढ़ाई हुई ?

(अ) एलफिंस्टन कॉलेज, बंबई (ब) क्रिश्चियन कॉलेज, मद्रास

(स) हिंदू कॉलेज, कलकत्ता (द) हिंदू कॉलेज, दिल्ली

867. भारत का साइक्लोट्रॉन (पार्टिकल एक्सीलेरेटर मशीन) कहाँ स्थित है ?

(अ) मुंबई (ब) कलकत्ता

(स) श्रीनगर (द) बंगलौर

868. सी.एस.आई.आर. कौन सा पुरस्कार देती है ?

(अ) जमनालाल बजाज पुरस्कार (ब) हरिओम शरण ट्रस्ट पुरस्कार

(स) एस.एस. भटनागर पुरस्कार

(द) वासविक औद्योगिक शोध पुरस्कार

869. सबसे पहले किस वैज्ञानिक शोध संस्थान की स्थापना हुई ?

(अ) टाटा इंस्टीट्यूट ऑफ फंडामेंटल रिसर्च

(ब) इंडियन एसोसिएशन फॉर दि कल्टीवेशन ऑफ साइंस

(स) इंडियन इंस्टीट्यूट ऑफ साइंस

(द) नेशनल फिजिकल लेबोरेटरी

870. जैव तकनीक में शोध कार्य किस संस्थान में शुरू हुआ ?

(अ) श्री चित्र तिरुनल मेडिकल इंस्टीट्यूट फॉर साइंस एंड टेक्नोलॉजी, त्रिवेंद्रम

(ब) रमन रिसर्च इंस्टीट्यूट, बंगलौर

(स) बंबई नेचरल हिस्ट्री सोसाइटी, मुंबई

(द) फिजिकल रिसर्च लेबोरेटरी, अहमदाबाद

871. भारत का सबसे पुराना इंजीनियरिंग कॉलेज कहाँ स्थित है ?

(अ) पुणे
(ब) रुड़की
(स) बंगलौर
(द) वेल्लोर

872. भारत की आजादी के पहले 'भारतीय कृषि शोध संस्थान' को किस नाम से जाना जाता था?
(अ) इंपीरियल एग्रीकल्चरल रिसर्च इंस्टीट्यूट
(ब) ब्रिटिश एग्रीकल्चरल सेंटर
(स) ईस्ट इंडिया इंस्टीट्यूट फॉर एग्रीकल्चर
(द) उपर्युक्त में से कोई नहीं

873. किस अंतरिक्ष केंद्र में रॉकेट ईंधन विकसित किया जाता है और बनाया जाता है?
(अ) स्पेस एप्लीकेशन सेंटर, अहमदाबाद
(ब) विक्रम साराभाई स्पेस सेंटर, त्रिवेंद्रम
(स) एस.एच.ए.आर. सेंटर, श्रीहरिकोटा
(द) नेशनल रिमोट सेंसिंग एजेंसी, सिकंदराबाद

874. किस खगोलीय वेधशाला में देश का सबसे बड़ा ऑप्टिकल टेलीस्कोप लगा है?
(अ) यू.पी. स्टेट ऑब्जर्वेटरी, नैनीताल
(ब) वेणु-बापू ऑब्जर्वेटरी, कावालूर
(स) कोडाईकनाल ऑब्जर्वेटरी, कोडाईकनाल
(द) उदयपुर सोलर ऑब्जर्वेटरी, उदयपुर

875. किस प्रयोगशाला में कुदरती माहौल में कॉस्मिक किरण का अध्ययन किया जाता है?
(अ) साहा इंस्टीट्यूट ऑफ न्यूक्लियर फिजिक्स, कलकत्ता
(ब) इंस्टीट्यूट ऑफ फिजिक्स, भुवनेश्वर
(स) हाई एल्टीट्यूड रिसर्च लेबोरेटरी, गुलमर्ग
(द) नेशनल फिजिकल लेबोरेटरी, नई दिल्ली

876. भारत में चिप बनाने का कारखाना कहाँ है?
(अ) मैसूर
(ब) चंडीगढ़
(स) त्रिवेंद्रम
(द) पटना

877. भारत में ट्यूबरक्यूलोसिस का प्रमुख शोध केंद्र कहाँ है?
(अ) मुंबई
(ब) हैदराबाद

(स) चेन्नई (द) कोयंबटूर

878. भारत का सबसे पुराना विज्ञान संग्रहालय कहाँ है ?

(अ) बिश्वेश्वरैया औद्योगिक एवं तकनीकी संग्रहालय, बंगलौर

(ब) राष्ट्रीय प्राकृतिक इतिहास संग्रहालय, नई दिल्ली

(स) बिड़ला औद्योगिक और तकनीकी संग्रहालय, कलकत्ता

(द) भारतीय राष्ट्रीय संग्रहालय

879. भारत की सबसे पुरानी विज्ञान संस्था कौन सी है ?

(अ) इंडियन नेशनल साइंस एकेडमी

(ब) इंडियन एकेडमी ऑफ साइंसेज

(स) नेशनल एकेडमी ऑफ साइंसेज

(द) इंडियन साइंस कांग्रेस एसोसिएशन

□

XXIV

महिला वैज्ञानिक

880. रशेल कारसन ने ज्यादातर किस बारे में लिखा है ?
(अ) ज्वालामुखी (ब) मौसम
(स) प्रदूषण (द) समुद्र

881. डोरोथी हॉजकिंस की किस क्षेत्र में महत्त्वपूर्ण देन है ?
(अ) वनवृक्ष विज्ञान (ब) क्रिस्टल विज्ञान
(स) सुपर कंडक्टिविटी (द) कृषि

882. किस महिला खगोलविद् ने छह धूमकेतु खोजे हैं ?
(अ) कोई नहीं (ब) मार्गरेट बरब्रिज
(स) कैरोलिन हर्शेल (द) क्रिस्टीन विल्सन

883. मिरियम रॉथ्सचाइल्ड ने किस उद्देश्य के लिए संघर्ष किया ?
(अ) स्वच्छ हवा (ब) पशु अधिकार
(स) मानव अधिकार (द) जंगल

884. रोजालिंड फ्रैंकलिन ने किसकी संरचना निर्धारण करके महत्त्वपूर्ण योगदान दिया है ?
(अ) डी.एन.ए. (ब) बेंजीन
(स) पल्सर (द) एटम

885. किस महिला वैज्ञानिक ने दो बार नोबेल पुरस्कार जीता ?
(अ) रोजालिंड येलो (ब) डोरोथी हॉजकिंस
(स) मेरी क्यूरी (द) बारबरा मैक्लिनटॉक

886. हेनरिटा एस. लिविट की खोज से पता चला कि सर्पिल नीहारिकाएँ बाहरी व्यवस्थाएँ हैं, जो लाखों प्रकाश वर्ष दूर हैं। उसने क्या खोजा था ?
(अ) सेफीड वैरिएबल्स (ब) सर्पिल नीहारिकाएँ

(स) क्वाशर (द) डार्क मैटर

887. मार्गरेट मीड अपने किस लेखन के लिए मशहूर है?

(अ) जंतु विज्ञान (ब) मौसम विज्ञान

(स) पृथ्वी विज्ञान (द) मानव विज्ञान

888. विलक्षण परिचारिका फ्लोरेंस नाइटिंगेल की क्या वैज्ञानिक देन है?

(अ) रक्त चढ़ाना (ब) चिकित्सा सांख्यिकी

(स) आनुवंशिकी (द) मानव विज्ञान

889. प्रसिद्ध भारतीय वैज्ञानिक असीमा चटर्जी की देन किस विषय में है?

(अ) प्राकृतिक उत्पाद रसायनशास्त्र (ब) पॉलीमर रसायन

(स) रासायनिक विकास (द) कोलाइड रसायन

890. विभिन्न रासायनिक तत्त्व अंतरिक्ष में कैसे बनते हैं, इस विषय पर किसने शोध किया?

(अ) कैथलीन लौंसडेल (ब) सेसिला एच. पेन-गैपोश्किन

(स) मार्गरेट बरबिज (द) इनमें से कोई नहीं

891. जोसलिन बेल बरनेल ने किस खगोलीय पदार्थ की खोज की?

(अ) क्वाशर (ब) ब्लैक होल

(स) पल्सर (द) इंफ्रा रेड तारा

892. प्रसिद्ध वैज्ञानिक अर्चना शर्मा ने निम्नलिखित में से किस विषय में अपना योगदान दिया?

(अ) मानव और पौधों के क्रोमोसोम (ब) ऊतक संवर्द्धन

(स) विटामिन और पोषण (द) कीटनाशक

□

XXV

लेखक, खगोलशास्त्री और संरक्षणवादी

वैज्ञानिक जो लिखते हैं

893. गणित की पहेली और मनोरंजक सवालों पर लिखनेवाला सर्वाधिक लोकप्रिय लेखक कौन है ?
(अ) वैरेन वीवर (ब) मार्टिन गार्डनर
(स) एच.ई. ड्यूड्नी (द) ई.टी. बेल

894. 'दि ड्रेगंस ऑफ इडेन' का लेखक कौन है ?
(अ) डगलस एडम्स (ब) कार्ल सैगान
(स) एल्विन टॉफ्लर (द) टॉम वुल्फ

895. 'दि सेक्रेट लाइफ ऑफ प्लांट्स' किसकी कृति है ?
(अ) मैक्स फ्लिंट और ऑटो ओ. बाइंडर
(ब) एडवर्ड ए. फेगेनबॉम और पामेला मैककोर्डक
(स) हीथर कूपर और निगेल हेनबेस्ट
(द) पीटर टॉम्पकिंस और क्रिस्टोफर बर्ड

896. भविष्य सूचक पुस्तक 'प्रोफाइल्स ऑफ दि फ्यूचर' का लेखक कौन है ?
(अ) ऑर्थर सी. क्लार्क (ब) एल्विन टॉफ्लर
(स) आइजेक एसीमोव (द) जे.जी. क्राउथर

897. विभिन्न पारितंत्रों और उनके जीवन पर एक बढ़िया टी.वी. धारावाहिक 'दि लिविंग प्लैनेट' किसने बनाया ?
(अ) पॉल हैरिसन (ब) गेराल्ड ड्यूरेल
(स) ई.पी.जी (द) डेविड अटेनबरॉ

898. धरती पर जीवन का विकास और खगोलशास्त्र से संबंधित विषय पर एक

बढ़िया टी.वी. धारावाहिक 'कॉस्मॉस' किसने बनाया ?

(अ) स्टीफन जे. गाउल्ड (ब) कार्ल सैगान

(स) वी.एस. वेंकटवरदन (द) रे ब्रैडबरी

899. विज्ञान और तकनीक के विकास पर आधारित लोकप्रिय टी.वी. सीरियल 'दि एसेंट ऑफ मैन' किसने बनाया ?

(अ) जैकब ब्रोनोवस्की (ब) केनेथ क्लार्क

(स) जोसफ नीधाम (द) कॉलिन ए. रोनन

900. कई खंडों की पुस्तक 'हैंडबुक ऑफ बर्ड्स ऑफ इंडिया एंड पाकिस्तान' के लेखक कौन हैं ?

(अ) सलीम अली और एस. डिलॉन रिप्ली

(ब) जफर फतहल्ली और सलीम अली

(स) ई.पी.जी और टी.जे. रॉबर्ट (द) इनमें से कोई नहीं

901. प्राकृतिक विज्ञान और विकास पर सर्वाधिक लोकप्रिय लेखक कौन हैं ?

(अ) स्टीफन जे. गाउल्ड (ब) बर्नार्ड डिक्सन

(स) जॉन मैडॉक्स (द) उपर्युक्त में से कोई नहीं

902. रात्रि आकाश दर्शन और खगोल विज्ञान पर अपने लेखन के लिए कौन प्रसद्धि है ?

(अ) नीगेल हेनबेस्ट (ब) जेम्स कॉरनेल

(स) पैट्रिक मूर (द) लेफ. जे. रॉबिंसन

903. 'दि ताओ ऑफ फिजिक्स' का लेखक कौन है ?

(अ) ई.सी.जी. सुदर्शन (ब) फ्रिट्जॉफ कैप्रा

(स) जॉन ह्वीलर (द) डेविड बॉम

खगोलशास्त्री

904. पृथ्वी और सूर्य के बीच की दूरी का आकलन सबसे पहले किसने किया ?

(अ) पाइथागोरस (ब) एरिस्टैरकस

(स) जोहांस केपलर (द) एडमंड हेली

905. प्लूटो ग्रह की खोज किसने की ?

(अ) क्लाइड टॉमबॉ (ब) जॉन हर्शेल

(स) परसीवल लॉवेल (द) विलियम हर्शेल

906. सूर्य की सतह पर काले धब्बों 'सन स्पॉट' को सबसे पहले किसने ढूँढ़ा ?

(अ) जे. फैब्रिसियस (ब) जॉन हर्शेल

(स) विलियम हर्शेल (द) हिप्पैरकस

907. सबसे पहले किसने खोजा कि सूर्य से रेडियो तरंगें निकलती हैं ?

(अ) जे.आर. मेयर (ब) जे.एस. हे

(स) जे. वान एलेन (द) जे. जानसेन

908. सूर्य के चक्कर को सबसे पहले किसने खोजा ?

(अ) गैलीलियो गैलिली (ब) जी.डी. कैसेनी

(स) निकोलस कॉपरनिकस (द) फ्रेड होयल

909. यूरेनस ग्रह के वलयों की खोज किसने की ?

(अ) डब्ल्यू.एच. पिकरिंग (ब) जे.सी. भट्टाचार्य

(स) एम.के.वी. बापू (द) वोयजर-2

910. नेप्चून ग्रह की खोज के पहले ही उसकी सही-सही स्थिति का पता किसने लगाया था ?

(अ) जॉन सी. एडम्स (ब) यू.जे.जे.ली. वेरियर

(स) उपर्युक्त दोनों ने (द) इनमें से कोई नहीं

911. प्लूटो ग्रह की खोज के पहले ही उसकी सही-सही स्थिति का पता किसने लगाया था ?

(अ) डब्ल्यू.एच. पिकरिंग (ब) वी.बी. केतकर

(स) क्लाइड टॉमबो (द) एफ.एल. ह्विपल

912. प्लूटो ग्रह के उपग्रह की खोज किसने की ?

(अ) जेम्स डब्ल्यू. क्रिस्टी (ब) चार्ल्स कोवल

(स) गेरार्ड कुइपर (द) डी.पी. टॉड

913. किस खगोलशास्त्री के नाम पर एक महत्त्वपूर्ण अमेरिकी खगोलीय वेधशाला का नाम है ?

(अ) जॉर्ज हेल (ब) विलियम हर्शेल

(स) टाइको ब्राहे (द) आसफ हॉल

914. सबसे ज्यादा धूमकेतुओं की खोज किसने की है ?

(अ) एडमंड हेली (ब) बी. क्लूब

(स) जे.एल. पॉन्स (द) डेविड गिल

915. किस खगोलशास्त्री के नाम से खगोलीय पदार्थों का एक समूह जाना जाता है ?

(अ) फर्डिनेंड मैगलन (ब) चार्ल्स मेसियर
(स) एडविन हबल (द) एडमंड हेली

916. शनि और यूरेनस के बीच 'चिरॉन' की कक्षा की खोज किसने की?
(अ) हैरलॉ शेपली (ब) चार्ल्स कोवल
(स) के. हिरयम्मा (द) थॉमस गेहरेल्स

917. प्रथम सौर स्पेक्ट्रम किसने प्राप्त किया?
(अ) अरस्तू (ब) जी. किरचॉफ
(स) जे. वॉन फ्रॉनहॉफर (द) आइजेक न्यूटन

918. किस खगोलशास्त्री का कहना है कि एक धूमकेतु के जरिए धरती पर जीवन लाया गया?
(अ) फ्रेड ह्विपल (ब) फ्रेड हॉयल
(स) हरमन बॉन्डी (द) चंद्र विक्रमसिंगे

919. किस प्रसिद्ध खगोलशास्त्री का विश्वास था कि दूसरे ग्रह के प्राणी पृथ्वी पर आते हैं?
(अ) कार्ल सैगान (ब) जे. एलेन हाइनेक
(स) फ्रेड होयल (द) जेम्स जींस

920. चीनी खगोलशास्त्रियों ने वृष राशि में सुपरनोवा को कब देखा था?
(अ) 1890 (ब) 480 ईसा पूर्व
(स) 105 ईसा पूर्व (द) 1054

संरक्षणवादी

921. पेरेग्रिन बाज को लुप्त होने से बचाने का श्रेय मुख्य रूप से किसको है?
(अ) थॉमस सी. केड (ब) जॉर्ज शैलर
(स) स्टुअर्ट बेकर (द) सलीम अली

922. गोरिल्ला को बचाने के प्रयास में किस प्रकृतिवादी की हत्या कर दी गई थी?
(अ) मरियम रॉथ्सचाइल्ड (ब) एग्नेस क्लार्क
(स) डायन फोसी (द) नेविल कॉलमैन

923. किस व्यक्ति को बचपन से ही चिड़ियाघर बनाने की ख्वाहिश थी? वह आज एक विशेष प्रकार के चिड़ियाघर का मालिक है।
(अ) कोनराड लॉरेंट्ज (ब) जेराल्ड ड्यूरेल

(स) डब्ल्यू.एच. थोरयू (द) इनमें से कोई नहीं

924. संयुक्त राज्य अमेरिका में बदले हुए जीनवाले बैक्टीरिया को पर्यावरण में छोड़े जाने के खिलाफ लड़ाई कौन लड़ रहा है?

(अ) स्टेनली कोहेन (ब) फ्रांसिस क्रिक

(स) बारबरा मैकलिनटॉक (द) जेरेमी रिफ्किन

925. लुप्तप्राय पक्षी 'केहो' को लुप्त होने से किसने बचाया?

(अ) लुईस एल. मोब्रे (ब) पॉल स्पितजर

(स) डेविड विनगेट (द) रिचर्ड पॉ

926. जंगल के ठेकेदारों से जंगल को बचाने के लिए उत्तर प्रदेश में 'चिपको आंदोलन' की शुरुआत किसने की?

(अ) चंडीप्रसाद भट्ट (ब) बंकर राय

(स) सुंदरलाल बहुगुणा (द) कमला चौधरी

927. नाभिकीय शक्तिगृहों और हथियारों के खिलाफ किसकी हत्या कर दी गई थी?

(अ) रोस्ली बारटेल (ब) बेरी मैथ्यूस

(स) हिल्दा मुरेल (द) जॉन टेलर

928. पर्यावरण को बचाने के लिए राजनीतिक स्तर पर लड़नेवाली 'ग्रीन पार्टी' कहाँ पैदा हुई?

(अ) ब्रिटेन (ब) इटली

(स) जर्मनी (द) संयुक्त राज्य अमेरिका

929. 'ब्यूटी विदाउट क्रूएल्टी' संस्था का संस्थापक कौन है?

(अ) मूरियल डाउडिंग (ब) मरियम रॉथ्सचाइल्ड

(स) बारबरा वार्ड (द) मारग्रेट मीड

930. कौन सी भारतीय जनजाति जंतु जीवन की आराधना करती है और इसकी हिफाजत के लिए जान देने को तैयार रहती है?

(अ) टोडा (ब) भील

(स) बिश्नोई (द) संथाल

□

XXVI

विविधा

विज्ञान समाज को प्रभावित करता है

931. किस आविष्कार ने संयुक्त राज्य अमेरिका में गृहयुद्ध की स्थिति पैदा कर दी थी ?

(अ) कॉटन जिन (ब) रेल

(स) कोई नहीं (द) स्ट्रीट लाइट

932. जब इस आविष्कार के बारे में लोगों को पता लगा तो उन्होंने यह सोचकर राहत महसूस की कि यह उन्हें प्रदूषण से मुक्ति दिलाएगा, लेकिन आज यह बड़े पैमाने पर एक दूसरी तरह का प्रदूषण फैला रहा है। यह क्या है ?

(अ) वायुयान (ब) कंप्यूटर

(स) मोटरगाड़ी (द) ट्राम

933. निम्नलिखित में से किस आविष्कार के बारे में माना जाता है कि यह महिलाओं के काम आनेवाली पहली चीज थी ? बाद में यह महिलाओं की सबसे अच्छी मित्र बन गई ?

(अ) रेफ्रिजरेटर (ब) सिलाई मशीन

(स) बुनाई मशीन (द) टाइपराइटर

934. किस चीज के आविष्कार से हम यह जान पाए कि हमारा ब्रह्मांड अंतरिक्ष में नखलिस्तान है ? इसकी सुरक्षा और एकता हमारे हाथों में है।

(अ) टेलीस्कोप (ब) रॉकेट

(स) उपग्रह (द) इनमें से कोई नहीं

935. किस आविष्कार ने लोगों की कल्पना शक्ति को मार दिया और आँखों की गंभीर समस्या पैदा कर दी ?

(अ) किताब (ब) टेलीविजन
(स) कंप्यूटर (द) सिनेमा

936. जब इस आविष्कार की खबर अखबारों में छपी तो विशेषकर महिलाओं में भय फैल गया। क्या था यह ?
(अ) एक्स–रे (ब) गर्भनिरोधक
(स) लिपस्टिक (द) सेफ्टी पिन

937. किस आविष्कार ने दुनिया को हमारी मेज पर बिठा दिया ?
(अ) टेलीविजन (ब) रेडियो
(स) टेलीफोन (द) टेपरिकॉर्डर

938. भगोड़े अपराधियों को पकड़ने में पुलिस की मदद किस आविष्कार ने की ?
(अ) माइक्रोस्कोप (ब) टेलीविजन
(स) रेल (द) बेतार रेडियो

939. किस आविष्कार के बारे में माना जाता है कि इसने अमेरिका का निर्माण किया है ?
(अ) मोटरगाड़ी (ब) टेलीविजन
(स) डायनामाइट (द) रेल

940. 'फ्यूचर शॉक' शब्द की रचना किसने की—नए आविष्कारों और खोजों के आलोक में बदलते माहौल के हिसाब से लोगों को बदलना होगा ?
(अ) लेविस थॉमस (ब) बी.एफ. स्किनर
(स) एल्विन टॉफ्लर (द) केनेथ क्लार्क

941. निम्नलिखित आविष्कारों में किससे बेरोजगारी, संशय और अव्यवस्था की गंभीर हालत पैदा होगी, यदि इसका उचित इस्तेमाल नहीं किया गया ?
(अ) स्पेस शटल (ब) कंप्यूटर
(स) जेरॉक्स मशीन (द) लेसर प्रिंटर

विज्ञान के अलावा

942. किस खगोलशास्त्री की नाक नकली थी ?
(अ) टाइको ब्राहे (ब) हिप्पैरकस
(स) जोहान केपलर (द) परसिवल लॉवेल

943. गणित या खगोलशास्त्र में अपने अध्ययन की बजाय अपनी कविताओं के

लिए कौन ज्यादा मशहूर है ?

(अ) रोजर बेकन (ब) जॉर्ज फिट्जगेराल्ड

(स) उमर खय्याम (द) फ्रांसेस्को ग्रिमाल्डी

944. किस वैज्ञानिक को किसी वैज्ञानिक कारण से नहीं, बल्कि किसी और वजह से काट दिया गया था ?

(अ) जियोर्दानो ब्रूनो (ब) एंतोइन लेवोजियर

(स) टाइको ब्राहे (द) गैलीलियो गेलिली

945. रसायन विज्ञान में शोध की बजाय रसायन विज्ञान पर अपनी पाठ्य पुस्तक के लिए कौन मशहूर है ?

(अ) हेनरी कैवेंडिश (ब) जोसफ ब्लैक

(स) पी.सी. रे (द) सैमुअल ग्लासटोन

946. रसायन विज्ञान में अपने शोध की बजाय सामाजिक दर्शन पर अपने विचार के लिए कौन प्रसिद्ध है ?

(अ) ग्यूलियो नाटा (ब) लिनस पॉलिंग

(स) माइकल पोलेनी (द) जॉर्ज पोर्टर

947. मेनलो पार्क का जादूगर किसे कहते हैं ?

(अ) जॉर्ज वेस्टिंगहाउस (ब) टामस एल्वा एडीसन

(स) जॉन फ्लेमिंग (द) लियोनार्दो द विंसी

948. चार्ल्स डार्विन का 'बुलडॉग' किसे कहा गया था ?

(अ) हरबर्ट स्पेंसर (ब) टी.एच. हक्सले

(स) टी.एच. मॉरगन (द) जी.जी. सिंपसन

949. प्रकृतिवादी की बजाय एक बेहतर चित्रकार के रूप में कौन मशहूर हुआ ?

(अ) जॉन जेम्स ऑडूबॉन (ब) सलीम अली

(स) एस. डिलॉन रिप्ली (द) चार्ल्स बीबे

950. निम्नलिखित मशहूर फरेबों में किसका संबंध नर वानर जीवाश्म से था ?

(अ) पिल्टडाउन (ब) ग्रेट मून

(स) फिट्जरॉय (द) शियापैरेली

प्रचलित घटनाएँ

951. निम्नलिखित भारतीय समुद्री क्षेत्र में 'न्यू मूर द्वीप' कहाँ मिला है ?

(अ) अरब सागर (ब) बंगाल की खाड़ी

(स) हिंद महासागर (द) कैंबे की खाड़ी

952. निम्नलिखित खर-पतवारों में से किसने भारत में गंभीर विनाश मचाया था ?

(अ) जलकुंभी (ब) काँटेदार नाशपाती

(स) जलीय फर्न (द) पार्थेनियम

953. जाएंट मीटरवेव रेडियो टेलीस्कोप कहाँ स्थापित किया गया ?

(अ) जोरहाट (ब) पुणे

(स) हरिद्वार (द) उज्जैन

954. दुनिया की सबसे बड़ी नाभिकीय भट्‌टी दुर्घटना कहाँ घटी थी ?

(अ) चेर्नोबिल (ब) थ्रीमाइल टापू

(स) मुरुरोआ (द) बर्कले

955. आकाश में नवीनतम प्रमुख सुपरनोवा विस्फोट कहाँ देखा गया था ?

(अ) सिग्नश राशि (ब) घने मैगेलेनिक बादल

(स) मेसियर-13 (द) प्लीयडिस

956. अभी किस रोग ने दुनिया भर में पाँव पसार दिए हैं ?

(अ) चेचक (ब) मलेरिया

(स) एड्स (द) कैंसर

957. बृहस्पति ग्रह के अध्ययन के लिए किस अंतरिक्ष यान को भेजा गया ?

(अ) गैलीलियो (ब) एक्सप्लोरर-4

(स) आइंस्टीन (द) इनमें से कोई नहीं

958. एक रसायन फैक्टरी से निकले मिथाइल आइसो सायनेट के बड़े बादल ने बड़ी संख्या में लोगों को मौत की नींद सुला दिया था। वह जगह कहाँ है ?

(अ) भोपाल, भारत (ब) वेनिस, इटली

(स) लेनिनग्राद, रूस (द) बॉन, जर्मनी

959. भारत में पहले परखनली शिशु का जन्म कहाँ हुआ था ?

(अ) कलकत्ता (ब) पांडिचेरी

(स) मुंबई (द) चंडीगढ़

960. निम्नलिखित अंतरिक्ष यानों में से किसका अंतरिक्ष में विस्फोट हो गया था ?

(अ) इंटरप्राइज (ब) कोलंबिया

(स) चैलेंजर (द) उपर्युक्त में से कोई नहीं

961. दुयिना की सबसे पुरानी और प्रतिष्ठित विज्ञान पत्रिका का क्या नाम है ?

(अ) साइंस (ब) नेचर

(स) साइंस एंड कल्चर (द) करेंट साइंस

962. विज्ञान का कौन सा विषय क्षेत्र अभी हाल में उभरकर सामने आया है ?

(अ) नृवंश विज्ञान (ब) अव्यवस्था (केऑस)

(स) एंट्रॉपी (द) पर्यावरण

963. ऐसा विश्वास किया जाता है कि इस क्षेत्र में जहाज और वायुयान गायब हो जाते हैं ?

(अ) बेरिंग स्ट्रेट (ब) पनामा नहर

(स) मृत सागर (द) बरमूदा त्रिकोण

964. ऐसा दावा किया जाता है कि कभी दूसरे महाद्वीप में समृद्ध सभ्यता थी। वह महाद्वीप कहाँ मौजूद है ?

(अ) प्रशांत महासागर (ब) हिंद महासागर

(स) अटलांटिक महासागर (द) लाल सागर

965. भारोत्तोलन किस प्रकार के व्यायाम के अंतर्गत आता है ?

(अ) समदूरीक (आइसोमेट्रिक) (ब) समपरासारी (आइसोटोनिक)

(स) चक्रीय श्वसन (द) लचीलापन

966. स्वचालिता के युग को किस आविष्कार से तेजी मिली ?

(अ) भाप इंजन (ब) सर्वो मैकेनिज्म

(स) वाल्व (द) उपर्युक्त सभी से

967. साइक्लॉप्स प्रोजेक्ट किससे जुड़ा है ?

(अ) समुद्र तल पर जीवन

(ब) चाँद पर बस्ती

(स) धरती से परे किसी दूसरे ग्रह की बुद्धिमत्ता

(द) रोबोट अंतरिक्ष यान

968. पृथ्वी का अंतिम बादशाह कौन है ?

(अ) मानव

(ब) रोबोट

(स) कंप्यूटर

(द) माइक्रोब्स

969. यह न हो किसी मंदिर का रास्ता है, न ही किसी किले का सभागार। यह वैज्ञानिक अवलोकन के लिए बना है। यह क्या है और इसका उद्देश्य क्या है ?

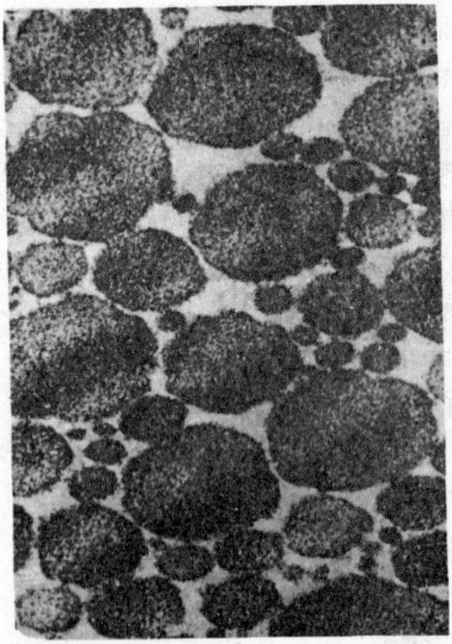

970. स्तनधारियों के शरीर के एक अंग का इलेक्ट्रॉन सूक्ष्मदर्शी से देखा गया

चित्र। यह क्या है ?

971. एक ग्रह की सबसे स्पष्ट आकृति। इसे क्या कहते हैं ? यह ग्रह कौन सा है ?

972. यह कैमरे जैसी वस्तु क्या है ? निश्चित तौर पर यह कैमरा नहीं है, फिर यह क्या है ?

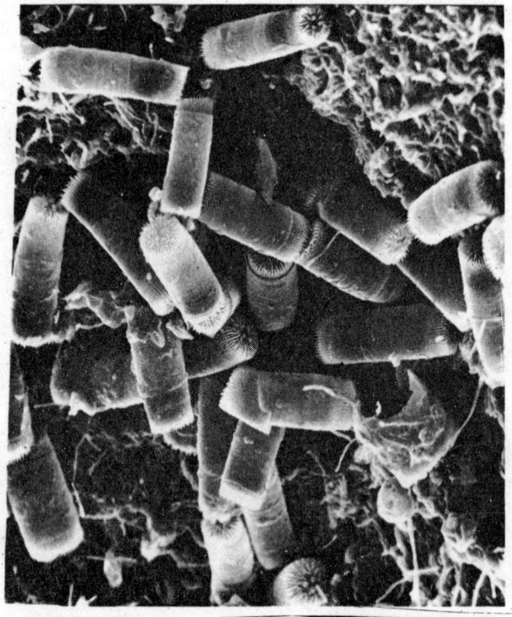

973. समुद्र और नदियों में ये बड़ी तादाद में पाए जाते हैं। ये क्या हैं? इनकी आर्थिक उपयोगिता क्या है?

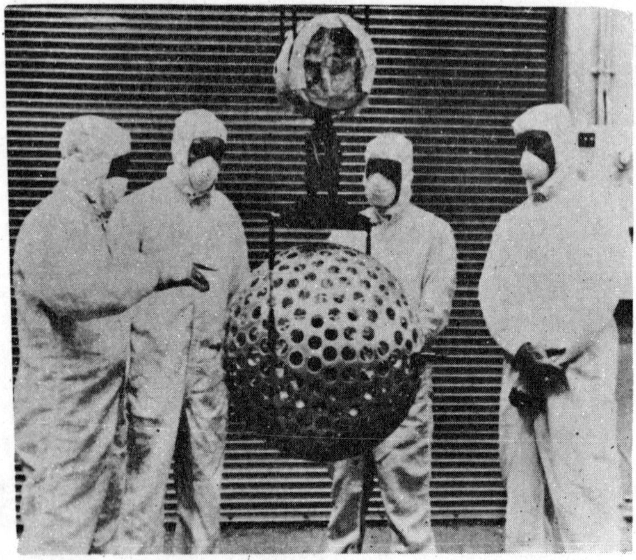

974. यह गोल वस्तु क्या है, जिसे सावधानी से चलाया जा रहा है। इसका

उद्देश्य क्या था?

975. यह पूरी दुनिया में 'टैकियोंस' के लिए मशहूर है। टैकियॉन एक पार्टिकल है, जो प्रकाश की गति से भी तेज दौड़ता है?

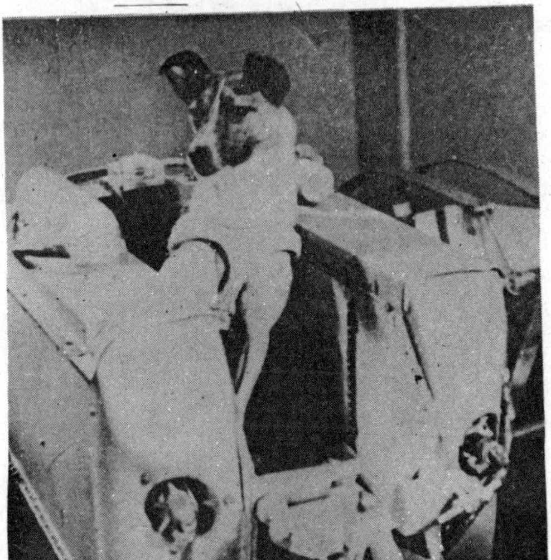

976. यह बहुत ही खास कुत्ता है। इसका क्या नाम है? इसने क्या खास काम किया है?

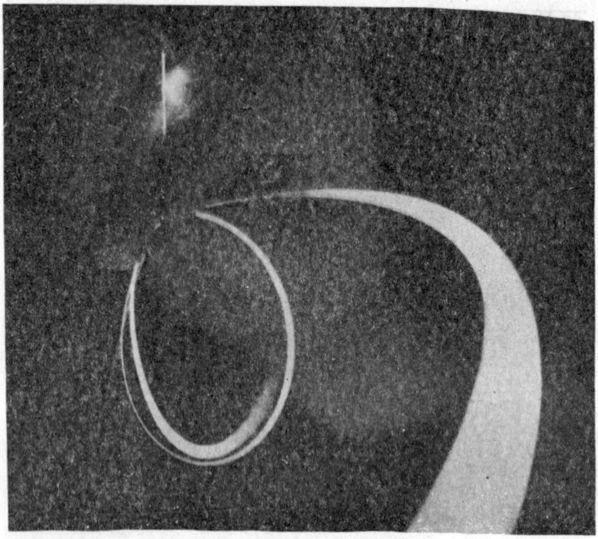

977

977. क्या प्रकाश की किरण इस प्रकार चल सकती है? नहीं, फिर इस तरह चलने के लिए क्या चीज जिम्मेदार है? इसकी क्या उपयोगिता है?

978. इस उपकरण के प्राचीनतम होने का मूल्य है। यह क्या है?

979. इस चीज को पहचानिए। इसका क्या उद्देश्य था?

980. ये दोनों प्रसिद्ध खगोलशास्त्री हैं। कौन हैं ये दोनों? खगोल विज्ञान को इनकी क्या देन है?

981. यह क्या चीज है और इसका क्या उद्देश्य है ?

982. यह एक अल्पज्ञात पर अमर्त्य वैज्ञानिक है। एक मौलिक जैव रासायनिक चक्र इनकी खोज है ?

983. एफील टॉवर पर किस प्रकार के बादल मँडरा रहे हैं ?

984. यह क्या चीज है ? इसका सबसे खास गुण क्या है ?

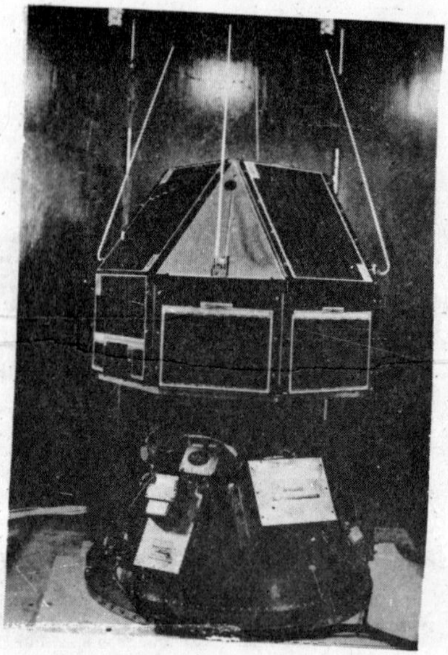

985. यह क्या है और इसकी विशेषता क्या है ?

986. हाल में गणित को दी गई इसकी देन कंप्यूटर को तेज गणना करने में सक्षम कर देगी। कौन है यह ?

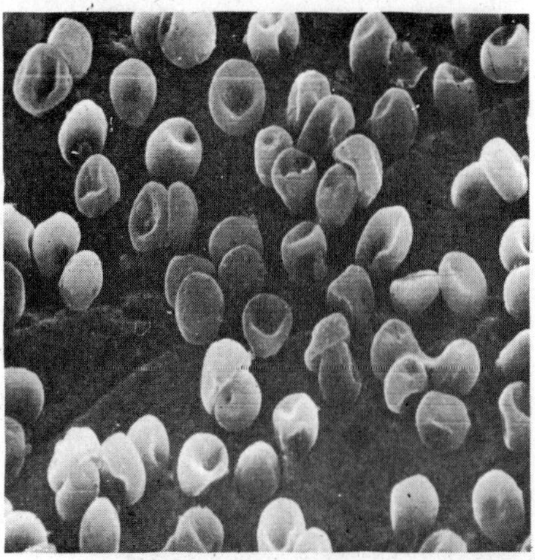

987

987. यह पंखुड़ियों जैसी चीज क्या है, जो हमारे शरीर का एक अंग है ?

988

988. यह फुंसी जैसे दागवाली चीज निश्चित तौर पर एक ग्रह है। यह क्या है ?

989. यह एशियाई मूल का वैज्ञानिक नोबेल पुरस्कार विजेता है। यह कौन है? विज्ञान को इनकी क्या देन है?

990. यह निश्चित तौर पर एक भारतीय उपकरण है। इसका क्या नाम है? इसने क्या किया है?

991. यह एक जीव का जीवाश्म है। यह कौन सा जीव है ?

992. इस अनोखे यंत्र का ऐतिहासिक महत्त्व है। यह क्या है ?

993. यह ऐतिहासिक स्मारक क्या है ? इसका वैज्ञानिक और तकनीकी महत्त्व क्या है ?

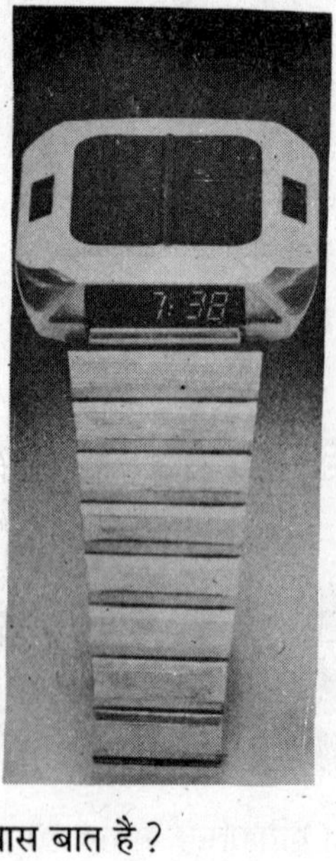

994. इस घड़ी में क्या खास बात है ?

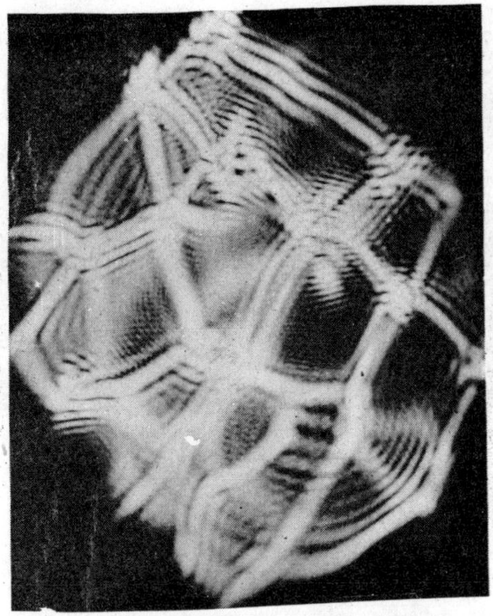

995. आम रूप में दिखनेवाली एक परिघटना की बड़ी तसवीर। यह परिघटना क्या है?

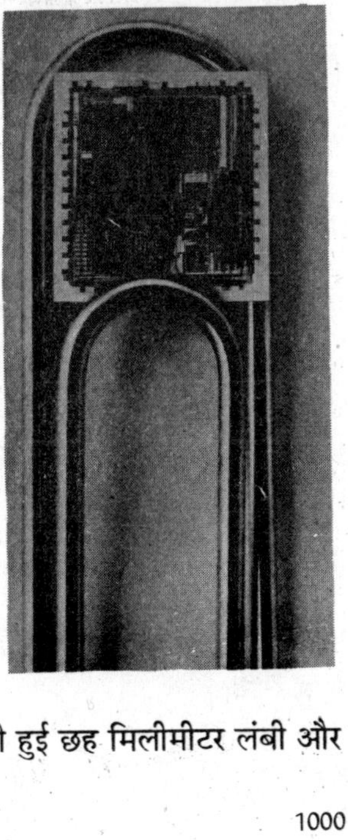

996. एक क्लिप पर रखी हुई छह मिलीमीटर लंबी और चौड़ी चीज क्या है?

997. यह क्या है, कहाँ है और इसका महत्त्व क्या है ?

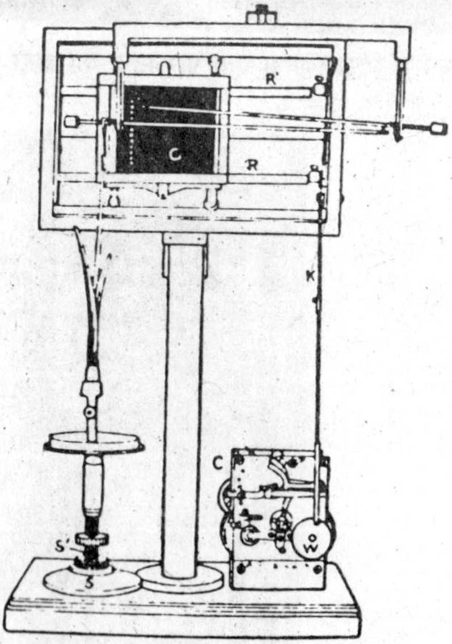

998. यह एक प्रसिद्ध आविष्कार का रेखाचित्र है। यह क्या है और किसने इसका आविष्कार किया ?

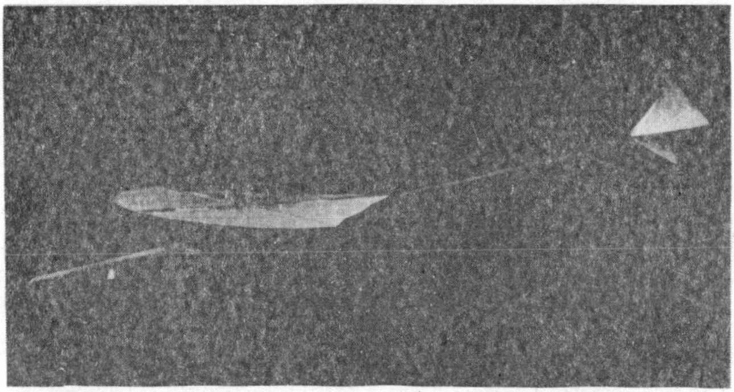

999. यह किसी चीज का मॉडल है। किसने इसका आविष्कार किया और कब ?

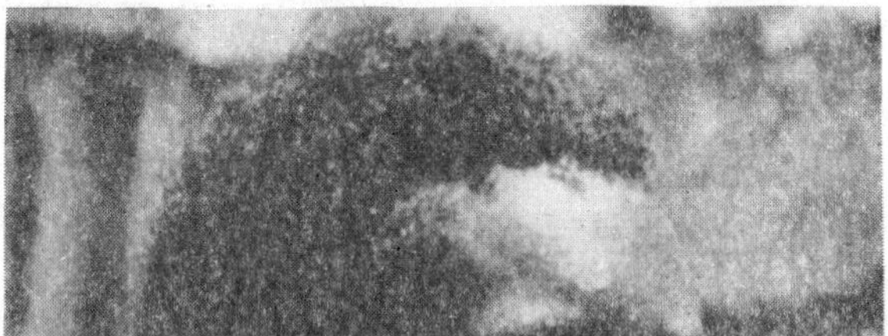

1000. यह तसवीर न ही किसी वैज्ञानिक की है और न ही किसी आविष्कारक की। यह एक आम आदमी की तसवीर है; मगर इसमें खास बात क्या है ?

☐

उत्तर

1. (द)	2. (स)	3. (ब)	4. (द)	5. (अ)	6. (द)
7. (अ)	8. (स)	9. (ब)	10. (अ)	11. (अ)	12. (स)
13. (अ)	14. (अ)	15. (स)	16. (द)	17. (द)	18. (ब)
19. (अ)	20. (अ)	21. (ब)	22. (द)	23. (द)	24. (ब)
25. (अ)	26. (अ)	27. (द)	28. (अ)	29. (अ)	30. (द)
31. (ब)	32. (अ)	33. (स)	34. (स)	35. (स)	36. (स)
37. (स)	38. (ब)	39. (स)	40. (स)	41. (स)	42. (स)
43. (स)	44. (स)	45. (ब)	46. (स)	47. (अ)	48. (ब)
49. (स)	50. (द)	51. (द)	52. (ब)	53. (ब)	54. (द)
55. (द)	56. (स)	57. (अ)	58. (ब)	59. (ब)	60. (अ)
61. (स)	62. (ब)	63. (स)	64. (स)	65. (द)	66. (अ)
67. (अ)	68. (ब)	69. (स)	70. (अ)	71. (स)	72. (अ)
73. (ब)	74. (अ)	75. (द)	76. (अ)	77. (स)	78. (अ)
79. (अ)	80. (अ)	81. (स)	82. (द)	83. (स)	84. (ब)
85. (अ)	86. (ब)	87. (ब)	88. (स)	89. (अ)	90. (अ)
91. (अ)	92. (द)	93. (द)	94. (ब)	95. (अ)	96. (ब)
97. (द)	98. (स)	99. (अ)	100. (अ)	101. (स)	102. (अ)
103. (द)	104. (ब)	105. (अ)	106. (अ)	107. (स)	108. (ब)
109. (ब)	110. (ब)	111. (ब)	112. (ब)	113. (द)	114. (ब)
115. (स)	116. (ब)	117. (अ)	118. (अ)	119. (ब)	120. (ब)
121. (अ)	122. (अ)	123. (अ)	124. (ब)	125. (अ)	126. (स)
127. (अ)	128. (स)	129. (ब)	130. (द)	131. (स)	132. (द)
133. (ब)	134. (स)	135. (द)	136. (अ)	137. (अ)	138. (अ)
139. (ब)	140. (स)	141. (अ)	142. (अ)	143. (अ)	144. (अ)

145. (द)	146. (स)	147. (स)	148. (ब)	149. (स)	150. (द)
151. (अ)	152. (ब)	153. (द)	154. (स)	155. (स)	156. (स)
157. (अ)	158. (अ)	159. (स)	160. (द)	161. (स)	162. (ब)
163. (अ)	164. (अ)	165. (ब)	166. (ब)	167. (ब)	168. (अ)
169. (ब)	170. (स)	171. (द)	172. (अ)	173. (अ)	174. (अ)
175. (अ)	176. (द)	177. (स)	178. (स)	179. (ब)	180. (अ)
181. (अ)	182. (अ)	183. (ब)	184. (अ)	185. (स)	186. (स)
187. (अ)	188. (ब)	189. (स)	190. (अ)	191. (द)	192. (अ)
193. (ब)	194. (अ)	195. (अ)	196. (स)	197. (द)	198. (स)
199. (स)	200. (अ)	201. (ब)	202. (स)	203. (ब)	204. (ब)
205. (अ)	206. (ब)	207. (ब)	208. (द)	209. (अ)	210. (स)
211. (द)	212. (स)	213. (अ)	214. (स)	215. (द)	216. (ब)
217. (द)	218. (अ)	219. (द)	220. (अ)	221. (ब)	222. (ब)
223. (ब)	224. (स)	225. (द)	226. (अ)	227. (स)	228. (ब)
229. (स)	230. (द)	231. (स)	232. (ब)	233. (द)	234. (स)
235. (द)	236. (ब)	237. (ब)	238. (ब)	239. (द)	240. (द)
241. (द)	242. (स)	243. (ब)	244. (स)	245. (ब)	246. (ब)
247. (द)	248. (स)	249. (द)	250. (स)	251. (द)	252. (अ)
253. (द)	254. (ब)	255. (द)	256. (ब)	257. (अ)	258. (अ)
259. (द)	260. (स)	261. (स)	262. (ब)	263. (ब)	264. (द)
265. (द)	266. (अ)	267. (अ)	268. (स)	269. (स)	270. (स)
271. (स)	272. (स)	273. (स)	274. (अ)	275. (द)	276. (अ)
277. (ब)	278. (स)	279. (ब)	280. (ब)	281. (अ)	282. (स)
283. (द)	284. (अ)	285. (स)	286. (अ)	287. (स)	288. (अ)
289. (अ)	290. (ब)	291. (अ)	292. (द)	293. (स)	294. (स)
295. (ब)	296. (अ)	297. (ब)	298. (स)	299. (स)	300. (द)
301. (द)	302. (स)	303. (द)	304. (स)	305. (ब)	306. (ब)
307. (द)	308. (स)	309. (ब)	310. (अ)	311. (द)	312. (अ)
313. (अ)	314. (द)	315. (ब)	316. (स)	317. (अ)	318. (ब)
319. (स)	320. (ब)	321. (स)	322. (अ)	323. (अ)	324. (ब)
325. (स)	326. (अ)	327. (द)	328. (अ)	329. (स)	330. (स)
331. (द)	332. (द)	333. (ब)	334. (अ)	335. (द)	336. (ब)

337. (ब)	338. (स)	339. (द)	340. (स)	341. (स)	342. (अ)
343. (ब)	344. (स)	345. (अ)	346. (ब)	347. (ब)	348. (ब)
349. (ब)	350. (द)	351. (अ)	352. (स)	353. (स)	354. (द)
355. (स)	356. (ब)	357. (ब)	358. (ब)	359. (अ)	360. (ब)
361. (अ)	362. (अ)	363. (द)	364. (द)	365. (अ)	366. (द)
367. (अ)	368. (द)	369. (स)	370. (अ)	371. (स)	372. (स)
373. (ब)	374. (स)	375. (अ)	376. (ब)	377. (ब)	378. (अ)
379. (अ)	380. (स)	381. (अ)	382. (द)	383. (ब)	384. (स)
385. (ब)	386. (ब)	387. (स)	388. (द)	389. (ब)	390. (द)
391. (अ)	392. (स)	393. (अ)	394. (ब)	395. (स)	396. (द)
397. (ब)	398. (अ)	399. (अ)	400. (अ)	401. (ब)	402. (स)
403. (ब)	404. (स)	405. (अ)	406. (स)	407. (द)	408. (द)
409. (द)	410. (ब)	411. (अ)	412. (अ)	413. (द)	414. (स)
415. (ब)	416. (स)	417. (ब)	418. (अ)	419. (द)	420. (स)
421. (द)	422. (ब)	423. (अ)	424. (ब)	425. (अ)	426. (द)
427. (ब)	428. (अ)	429. (अ)	430. (स)	431. (स)	432. (द)
433. (अ)	434. (द)	435. (द)	436. (स)	437. (ब)	438. (ब)
439. (द)	440. (स)	441. (स)	442. (ब)	443. (अ)	444. (स)
445. (ब)	446. (अ)	447. (द)	448. (स)	449. (स)	450. (ब)
451. (द)	452. (अ)	453. (ब)	454. (अ)	455. (अ)	456. (अ)
457. (स)	458. (ब)	459. (ब)	460. (स)	461. (अ)	462. (स)
463. (अ)	464. (ब)	465. (स)	466. (स)	467. (अ)	468. (ब)
469. (अ)	470. (द)	471. (स)	472. (द)	473. (अ)	474. (ब)
475. (अ)	476. (द)	477. (ब)	478. (द)	479. (अ)	480. (अ)
481. (स)	482. (स)	483. (द)	484. (अ)	485. (ब)	486. (अ)
487. (ब)	488. (द)	489. (अ)	490. (ब)	491. (स)	492. (स)
493. (अ)	494. (ब)	495. (द)	496. (द)	497. (अ)	498. (स)
499. (अ)	500. (स)	501. (स)	502. (अ)	503. (द)	504. (स)
505. (ब)	506. (अ)	507. (ब)	508. (अ)	509. (स)	510. (स)
511. (स)	512. (ब)	513. (ब)	514. (स)	515. (ब)	516. (अ)
517. (द)	518. (ब)	519. (द)	520. (द)	521. (स)	522. (अ)
523. (अ)	524. (स)	525. (ब)	526. (ब)	527. (ब)	528. (अ)

529. (अ) 530. (द) 531. (अ) 532. (द) 533. (स) 534. (अ)
535. (द) 536. (ब) 537. (अ) 538. (ब) 539. (स) 540. (स)
541. (ब) 542. (अ) 543. (द) 544. (अ) 545. (ब) 546. (ब)
547. (ब) 548. (स) 549. (अ) 550. (स) 551. (ब) 552. (स)
553. (अ) 554. (ब) 555. (अ) 556. (स) 557. (अ) 558. (ब)
559. (स) 560. (ब) 561. (स) 562. (स) 563. (ब) 564. (ब)
565. (द) 566. (स) 567. (ब) 568. (अ) 569. (ब) 570. (स)
571. (अ) 572. (ब) 573. (स) 574. (ब) 575. (ब) 576. (स)
577. (ब) 578. (स) 579. (ब) 580. (अ) 581. (अ) 582. (अ)
583. (ब) 584. (अ) 585. (अ) 586. (ब) 587. (ब) 588. (अ)
589. (स) 590. (अ) 591. (ब) 592. (द) 593. (ब) 594. (स)
595. (स) 596. (ब) 597. (अ) 598. (अ) 599. (स) 600. (अ)
601. (स) 602. (अ) 603. (ब) 604. (अ) 605. (द) 606. (अ)
607. (स) 608. (द) 609. (अ) 610. (ब) 611. (स) 612. (अ)
613. (स) 614. (अ) 615. (अ) 616. (द) 617. (स) 618. (अ)
619. (अ) 620. (अ) 621. (द) 622. (स) 623. (अ) 624. (अ)
625. (अ) 626. (स) 627. (ब) 628. (अ) 629. (द) 630. (अ)
631. (अ) 632. (द) 633. (द) 634. (अ) 635. (द) 636. (द)
637. (स) 638. (द) 639. (द) 640. (अ) 641. (ब) 642. (अ)
643. (अ) 644. (अ) 645. (ब) 646. (द) 647. (ब) 648. (अ)
649. (ब) 650. (द) 651. (अ) 652. (ब) 653. (अ) 654. (ब)
655. (द) 656. (स) 657. (द) 658. (ब) 659. (स) 660. (अ)
661. (द) 662. (ब) 663. (ब) 664. (अ) 665. (अ) 666. (ब)
667. (ब) 668. (द) 669. (अ) 670. (ब) 671. (ब) 672. (अ)
673. (स) 674. (स) 675. (अ) 676. (ब) 677. (द) 678. (स)
679. (स) 680. (अ) 681. (द) 682. (ब) 683. (द) 684. (अ)
685. (द) 686. (ब) 687. (स) 688. (ब) 689. (द) 690. (स)
691. (द) 692. (अ) 693. (ब) 694. (अ) 695. (स) 696. (अ)
697. (स) 698. (स) 699. (स) 700. (द) 701. (अ) 702. (ब)
703. (अ) 704. (द) 705. (अ) 706. (ब) 707. (स) 708. (द)
709. (स) 710. (आ) 711. (ब) 712. (ब) 713. (अ) 714. (ब)
715. (ब) 716. (द) 717. (अ) 718. (द) 719. (स) 720. (स)

721. (अ) 722. (द) 723. (स) 724. (अ) 725. (स) 726. (अ)
727. (अ) 728. (अ) 729. (स) 730. (अ) 731. (अ) 732. (स)
733. (ब) 734. (ब) 735. (स) 736. (द) 737. (स) 738. (स)
739. (अ) 740. (स) 741. (द) 742. (द) 743. (ब) 744. (अ)
745. (स) 746. (ब) 747. (द) 748. (अ) 749. (ब) 750. (अ)
751. (द) 752. (ब) 753. (ब) 754. (अ) 755. (ब) 756. (ब)
757. (द) 758. (ब) 759. (ब) 760. (द) 761. (अ) 762. (ब)
763. (द) 764. (अ) 765. (द) 766. (ब) 767. (स) 768. (अ)
769. (स) 770. (ब) 771. (ब) 772. (अ) 773. (ब) 774. (ब)
775. (ब) 776. (अ) 777. (अ) 778. (स) 779. (ब) 780. (अ)
781. (स) 782. (अ) 783. (द) 784. (स) 785. (ब) 786. (अ)
787. (अ) 788. (ब) 789. (स) 790. (अ) 791. (ब) 792. (स)
793. (ब) 794. (द) 795. (ब) 796. (स) 797. (ब) 798. (स)
799. (अ) 800. (अ) 801. (अ) 802. (अ) 803. (द) 804. (द)
805. (ब) 806. (ब) 807. (अ) 808. (ब) 809. (स) 810. (ब)
811. (स) 812. (स) 813. (ब) 814. (द) 815. (द) 816. (ब)
817. (स) 818. (ब) 819. (द) 820. (द) 821. (अ) 822. (द)
823. (स) 824. (द) 825. (अ) 826. (ब) 827. (स) 828. (अ)
829. (स) 830. (ब) 831. (ब) 832. (ब) 833. (अ) 834. (अ)
835. (स) 836. (ब) 837. (अ) 838. (ब) 839. (द) 840. (ब)
841. (अ) 842. (द) 843. (ब) 844. (स) 845. (स) 846. (ब)
847. (अ) 848. (द) 849. (अ) 850. (द) 851. (ब) 852. (स)
853. (ब) 854. (द) 855. (ब) 856. (अ) 857. (ब) 858. (द)
859. (द) 860. (ब) 861. (द) 862. (द) 863. (अ) 864. (द)
865. (द) 866. (स) 867. (ब) 868. (स) 869. (ब) 870. (अ)
871. (ब) 872. (अ) 873. (ब) 874. (ब) 875. (स) 876. (ब)
877. (स) 878. (द) 879. (द) 880. (द) 881. (ब) 882. (स)
883. (ब) 884. (अ) 885. (स) 886. (अ) 887. (द) 888. (ब)
889. (अ) 890. (स) 891. (स) 892. (अ) 893. (ब) 894. (ब)
895. (द) 896. (अ) 897. (द) 898. (ब) 899. (अ) 900. (अ)
901. (अ) 902. (स) 903. (ब) 904. (ब) 905. (अ) 906. (अ)
907. (ब) 908. (अ) 909. (ब) 910. (स) 911. (ब) 912. (अ)

913. (अ) 914. (स) 915. (ब) 916. (ब) 917. (द) 918.(ब,द)
919. (ब) 920. (द) 921. (अ) 922. (स) 923. (ब) 924. (द)
925. (स) 926. (अ,स)927.(स) 928. (स) 929. (अ) 930. (स)
931. (अ) 932. (स) 933. (ब) 934. (ब) 935. (ब) 936. (अ)
937. (स) 938. (द) 939. (स) 940. (स) 941. (ब) 942. (अ)
943. (स) 944. (ब) 945. (द) 946. (स) 947. (ब) 948. (ब)
949. (अ) 950. (अ) 951. (ब) 952. (द) 953. (ब) 954. (अ)
955. (ब) 956. (स) 957. (अ) 958. (अ) 959. (स) 960. (स)
961. (ब) 962. (ब) 963. (द) 964. (स) 965. (ब) 966. (ब)
967. (स) 968. (द)

969. जंतर-मंतर का राम यंत्र, नई दिल्ली। तारों और ग्रहों की स्थिति निर्धारण के लिए इसका उपयोग किया जाता था।

970. कोलेजेन। यह एक रेशेदार प्रोटीन है, जो चमड़े को जोड़नेवाले ऊतकों, स्नायुओं और हड्डियों में बड़ी मात्रा में पाया जाता है।

971. ओलिंपस मॉन्स—मंगल ग्रह का विशाल ज्वालामुखी।

972. पहला व्यावसायिक टेलीफोन। एलेक्जेंडर बेल ने सन् 1877 में बनाया।

973. डाएटक्स—ये किसेलगुर और तेल का संग्रह बनाते हैं।

974. यह गोल वस्तु उपग्रह है—लेज़र जियोडायनामिक्स सैटेलाइट। इस उपग्रह ने पृथ्वी की परतीय और घूर्णन गति का सटीक अवलोकन किया है।

975. ई.सी.जी. सुदर्शन।

976. लैका—अंतरिक्ष में जानेवाला पहला सजीव।

977. प्रकाश दरअसल ऑप्टिकल फाइबर के जरिए चल रहा है। ऑप्टिकल फाइबर की जीवन के विभिन्न क्षेत्रों में बड़ी दखल होने वाली है। यह संचार, कंप्यूटर और चिकित्सकीय उपकरणों में इस्तेमाल की जा रही है।

978. जी. मारकोनी का पहला ट्रांसमीटर। इटली में सन् 1894 में रेडियो तरंगवाले प्रयोग में इसका इस्तेमाल किया गया।

979. वीनस-10 अंतरिक्ष यान। शुक्र ग्रह के धरातल और माहौल के अध्ययन के लिए इसे प्रक्षेपित किया गया था।

980. आर्नो पेंजियास और आर.डब्ल्यू. विल्सन। इन्होंने ब्रह्मांड निर्माण के लिए बिग बैंग सिद्धांत के सबूत खोजे थे।

981. चिकनमेश एंटीना। सन् 1976 में साइट प्रयोग के दौरान भारत के कुछ हिस्से में ग्रामीणवासियों के लिए टेलीविजन कार्यक्रम दिखाने के उद्देश्य

से हजारों की संख्या में स्थापित किए गए थे।

982. हेंस क्रेब्स।

983. साइरस।

984. सूर्य की ओर उन्मुख धरती का हिस्सा। इसने बुद्धिमान जीवन विकसित किया।

985. रोहिणी। भारतीय रॉकेट से छोड़ा गया पहला उपग्रह—एस.एल.वी.-3।

986. बेल प्रयोगशाला, संयुक्त राज्य अमेरिका के नरेंद्र के. करमारकर।

987. श्वेत रक्त कण।

988. चंद्रमा। यह इसके धरातल का दूसरा हिस्सा है, जो नहीं दिखता है।

989. अब्दुस सलाम। इन्होंने गुरुत्व, विद्युत्-चुंबकीय और नाभिकीय शक्तियों जैसी प्रकृति की विविध शक्तियों के एकीकरण को प्राप्त करने की दिशा में महत्त्वपूर्ण सैद्धांतिक अवदान दिया है।

990. अनुराधा। इसे स्पेस शटल पर चढ़ाकर अंतरिक्ष में भेजा गया था। इसका उद्देश्य कॉस्मिक किरणों का अध्ययन करना था।

991. आर्कियोपटैरिक्स। सरीसृप और पक्षी के बीच का सूत्र।

992. प्रथम रेडियो टेलीस्कोप। ग्रह आदि से आती रेडियो तरंगों का अध्ययन करना इसका उद्देश्य है।

993. नई दिल्ली में कुतुब मीनार के पास का लौह स्तंभ। इसमें कई सदियों से जंग नहीं लगा है। इससे पता चलता है कि भारतीय 'चूर्ण धातुकर्म' में अग्रणी थे।

994. यह बिजली से चलती है, जो इसके ऊपर लगी सौर बैटरी से पैदा होती है।

995. तारों का चमकना। तसवीर बताती है कि कैसे प्रकाश की किरण हवा में अशांति से बिखर जाती है।

996. एक अकेला चिप, कंप्यूटर का दिमाग।

997. पोखरण, राजस्थान में क्रेटर की तसवीर। भारत में सन् 1974 में नाभिकीय विस्फोट की वजह से यह क्रेटर बना।

998. क्रेस्कोग्राफ, जगदीशचंद्र बोस।

999. ग्लाइडर का पहला मॉडल। सन् 1804 में जॉर्ज केली ने इसका आविष्कार किया।

1000. यह सोमालिया के अली माओ मालिन की तसवीर है। चेचक का आखिरी शिकार इसे ही माना जाता है।

□□□